LE MONDE ÉTONNANT DES ROBOTS

Hilary Henson

Fernand Nathan

Sommaire

Traduit et adapté de l'anglais
par **Paul Alexandre**

L'édition originale de cet ouvrage a paru
sous le titre : *Robots*
chez Kingfisher Books, Londres

Copyright : © Kingfisher Books Limited 1981
Texte français : © Fernand Nathan Éditeur, S.A., Paris, 1982
N° d'éditeur : V 31166
ISBN 2.09.290199.0
Photocomposition Coupé S.A. - 44880 Sautron
Printed in Hong Kong by South China Printing Co.

Pages de garde : Une mémoire en treillis de bulles, capable d'emmagasiner dix fois plus d'informations que la plus puissante des plaquettes de silicium disponibles aujourd'hui.

Page précédente : Une soudeuse Unimate en fonctionnement.

Page en regard : Le robot Senster construit par Edward Ihnatowicz pour la firme Evoluon à Eindhoven (Pays-Bas). Cette structure d'un peu moins de trois mètres de haut « réagit » aux sons et aux mouvements du milieu qui l'entoure.

Introduction

Les hommes ont toujours été fascinés par la notion de robot. Cet envoûtement ne date pas de l'apparition des premiers automates : il remonte à une époque bien plus ancienne, alors qu'on ne disposait d'aucun moyen pratique d'en construire. Il s'agit là, notons-le, d'une fascination différente de celle qu'ont toujours exercée les mécanismes ingénieux et compliqués : dans le cas des robots, ce qui provoque notre intérêt, ce sont bien moins les détails précis de leur construction que le rôle qu'on leur assigne ou que nous les imaginons en train de jouer.

La plupart des robots qui seront décrits dans le présent ouvrage sont d'une grande simplicité. Mais si l'on pousse jusqu'à sa conclusion logique le thème qui leur est sous-jacent ou l'objectif qu'on leur fixe communément, on s'aperçoit que ce qui est en jeu, ce ne sont pas simplement des efforts déployés pour accroître les capacités humaines en matière de génie civil : il y a là, manifestement, une volonté d'élaborer un substitut de l'homme lui-même. Il se peut que ce désir ne soit pas conscient, mais le but est évident : il ne s'agit de rien moins que d'une tentative pour créer la vie.

Comparées aux robots, toutes les autres machines peuvent être considérées comme des outils plus ou moins élaborés. Ce sont des extensions du corps humain qui permettent aux hommes d'exercer un plus grand pouvoir dans un nombre plus étendu de domaines plus variés (tel est le cas des moteurs et des véhicules), ou de mieux observer leur milieu et d'être mieux renseignés à son sujet ; mais la faculté d'interpréter ces renseignements, celle de prendre les décisions qui en découlent et de contrôler les activités qui en résultent sont toujours demeurées, jusqu'à présent, la prérogative absolue de l'homme. Or, dans un robot contemporain, les trois activités d'observation, d'interprétation et d'action physique sont réunies et constituent, ensemble, une entité unique, un animal mécanique autonome.

Caractéristique exaltante du monde moderne, l'homme dispose maintenant d'une technologie qui lui permet de se livrer à la plus audacieuse des entreprises : la création de la vie. Mais il y a plus que cela : en prenant le risque de telles tentatives, si maladroites soient-elles encore, nous accroissons nos chances de comprendre un jour notre propre mécanisme intellectuel.

Edward Ihnatowicz

1. L'histoire des robots

Qu'il s'agisse de monstres cuirassés d'acier venus de l'espace extérieur ou de serviteurs assidus de l'humanité, il pourrait sembler que les robots soient une préoccupation à peu près exclusive du XXᵉ siècle. Mais en fait, si l'on remonte bien avant dans l'histoire, on s'aperçoit que les hommes ont été depuis fort longtemps obsédés par le rêve périlleux et délectable de créer une mécanique dotée de vie. Dans beaucoup de sociétés, on rencontre le mythe de l'homme qui a osé fabriquer un être vivant, et la plupart de ces héros audacieux ont été punis de leur présomption.

L'origine du « robot »

Le mot « robot » est d'origine slave ; il dérive des mots qui désignent le travail et les ouvriers. Le choix de ce terme était adéquat, car un des principaux mobiles qui ont toujours incité l'homme à fabriquer des robots, c'est de créer une main-d'œuvre qu'il puisse traiter en esclave sans éprouver un sentiment de culpabilité.

Il semble bien que le mot « robot » ait été utilisé pour la première fois dans le sens que nous connaissons par le dramaturge tchèque Karel Čapek. Les robots ont fait leur première apparition en public en 1920, dans la pièce de Čapek intitulée *R.U.R.* (ces initiales désignant les *Robots Universels de Rossum*). Dans ce drame, un ingénieur entreprend de créer des machines à travailler, modelées sur les êtres humains mais n'ayant aucune de leurs faiblesses. Au début, les robots jouissent d'un succès prodigieux et on en commande de partout. Mais l'action prend ensuite un tour sinistre : les robots sont utilisés pour faire la guerre et non pour travailler, et ils en viennent à se révolter contre leurs maîtres humains.

Les robots dans l'Antiquité

Il s'agit là d'une fiction ; mais l'histoire des « vrais » robots est quelque peu différente. L'idée de créer un individu mécanique a été dans l'air bien avant que celui-ci ne prenne le nom de robot. Et en fait, c'était bien davantage qu'une simple idée. Quelques-uns des meilleurs ingénieurs de l'Antiquité ont consacré de longues heures à créer d'ingénieux automates, imitant la vie humaine et animale. Certaines des descriptions qui nous en sont parvenues paraissent extrêmement fantaisistes et assez peu vraisemblables ; mais cela provient peut-être du fait que les écrivains qui ont décrit ces merveilles ne comprenaient guère les principes qui avaient présidé à l'élaboration de leurs mécanismes.

En tout cas, ces comptes rendus nous indiquent une chose : les inventeurs en question voulaient à tout prix stupéfier leur public, même s'ils ne recouraient pas explicitement pour cela à des supercheries. On dit par exemple que Ctésibios (300-270 av. J.-C.) avait fabriqué des statues qui buvaient et se déplaçaient et des oiseaux qui chantaient. Philon de Byzance (220-200 av. J.-C.) est aussi censé avoir créé des statues qui se comportaient de façon intelligente et étaient entièrement actionnées par l'eau.

Héron d'Alexandrie est l'auteur d'un livre, écrit au premier siècle avant Jésus-Christ, qui allait influencer beaucoup d'artistes et d'ingénieurs de la Renaissance. Cet ouvrage est rempli de descriptions de dispositifs étranges, qui semblent fonctionner par magie, mais illustrent en fait certains principes hydrauliques ou pneumatiques. Il nous montre un temple automatisé dont les portes s'ouvrent quand on allume un bûcher sacrificiel, et un appareil avec des oiseaux qui sifflent quand on y insuffle de l'air par suite d'un écoulement d'eau. Dans ce même engin, une chouette tourne le dos aux oiseaux chanteurs. Quand la direction de l'écoulement d'eau est renversée, la chouette se retourne vers les oiseaux qui cessent aussitôt de chanter.

Costume pour une représentation de *R.U.R* de Čapek (1920).

Eau, cames et leviers

Les princes de ce monde et autres hommes puissants ont toujours été disposés à payer grassement des inventeurs comme Héron pour construire des appareils merveilleux, propres à étonner, à terrifier et à mystifier leurs sujets. On en voit un très bon exemple, datant du XVIIIᵉ siècle, au château de Hellbrunn, en Autriche, non loin de Salzbourg. Il s'agit d'un théâtre de marionnettes dans lequel des centaines de petits personnages accomplissent leurs tâches quotidiennes. Des bouchers abattent un veau, des hommes bâtissent une maison, boivent du vin et ainsi de suite, tandis qu'un orgue accompagne mélodieusement ces activités. Tout le mécanisme est actionné par de l'eau et par un système de cames et de leviers. C'est l'eau qui fait marcher la soufflerie de l'orgue, et la mélodie qu'il joue est déclenchée par les picots de cuivre

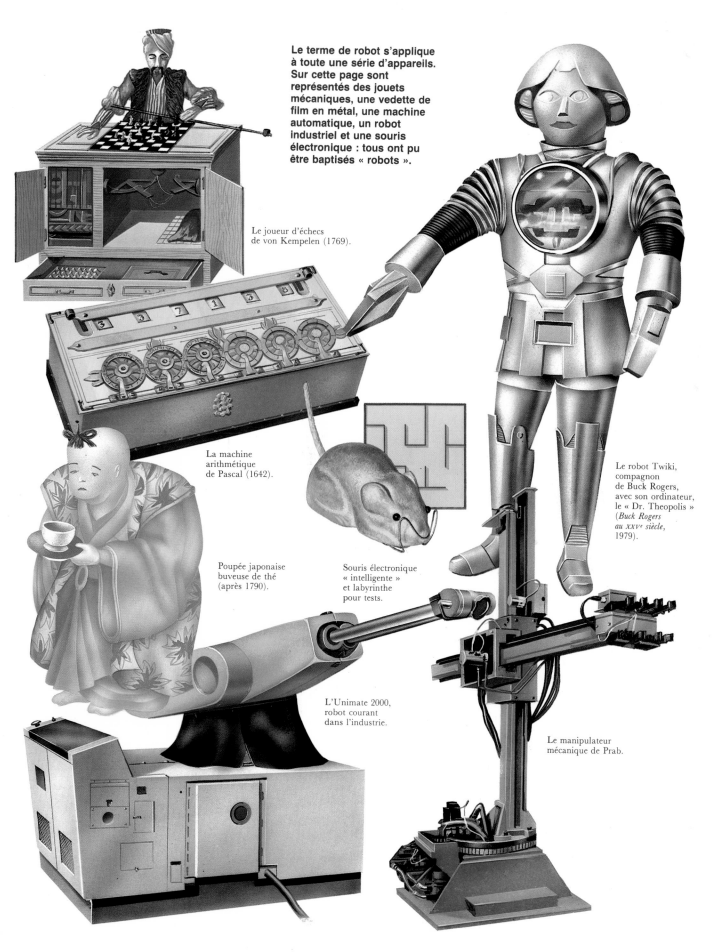

Le terme de robot s'applique à toute une série d'appareils. Sur cette page sont représentés des jouets mécaniques, une vedette de film en métal, une machine automatique, un robot industriel et une souris électronique : tous ont pu être baptisés « robots ».

Le joueur d'échecs de von Kempelen (1769).

La machine arithmétique de Pascal (1642).

Le robot Twiki, compagnon de Buck Rogers, avec son ordinateur, le « Dr. Theopolis » (*Buck Rogers au XXVe siècle*, 1979).

Poupée japonaise buveuse de thé (après 1790).

Souris électronique « intelligente » et labyrinthe pour tests.

L'Unimate 2000, robot courant dans l'industrie.

Le manipulateur mécanique de Prab.

d'un cylindre. Le théâtre comporte encore des grottes avec des oiseaux chanteurs, des têtes de cerfs dont les andouillers crachent de l'eau, et une couronne qui jaillit d'une fontaine. Si vous allez visiter ce château, préparez-vous à être mouillé !

Au XVIIIe siècle, les mécanismes qui actionnaient les automates étaient devenus très complexes et très élaborés. Le plus célèbre, peut-être, est le canard de Vaucanson, qu'on vit pour la première fois en France en 1738. On dit qu'il marchait, mangeait, cancanait, buvait et barbotait dans l'eau ; malheureusement, il n'est pas parvenu jusqu'à nous. Mais d'autres automates de la même période fonctionnent toujours, notamment les très beaux jouets fabriqués par l'horloger et mécanicien Pierre Jaquet-Droz et par son fils Henri Jaquet-Droz, en Suisse, au début du XVIIIe siècle.

Au fur et à mesure que les automates devenaient plus élaborés, on leur faisait exécuter des tâches de plus en plus proches de la vie réelle. Ainsi le dessinateur conçu par Jaquet-Droz dessinait de façon ravissante et ses croquis étaient très détaillés. Malgré cela, on ne tentait pas vraiment de faire croire que ces belles « créatures » agissaient spontanément en quoi que ce soit ; elles disposaient d'un répertoire préétabli de mélodies à jouer ou de croquis à dessiner.

Mais le joueur d'échecs du baron de Kempelen, construit en Allemagne en 1769, stupéfia beaucoup de gens. Il s'agissait d'une marionnette représentant un Turc, assis devant un échiquier monté sur une caisse. Avant chaque partie, on

Ci-dessus : Les portes du temple de Héron (vers l'an 62 de notre ère). Le feu accroissait la pression de l'air dans la cuve située au-dessous, ce qui faisait circuler l'eau dans les récipients suspendus au sous-sol. Le poids accru de l'eau exerçait une traction sur les cordes qui commandaient l'ouverture des portes. Quand le feu était éteint, le processus avait lieu en sens inverse.

Ci-dessous et ci-contre : L'homme à vapeur construit par George Moore en 1893. Son cigare lui servait de tuyau d'échappement et on prétend qu'il pouvait marcher à 14 km/h.

Ci-dessus : La Fontaine du paon apparaît dans un ouvrage musulman, consacré aux appareils mécaniques, datant de 1206 ; elles sert à se laver les mains. Quand on verse de l'eau dans le bassin, un personnage portant un bol de poudre parfumée apparaît, suivi par une autre marionnette tendant une serviette.

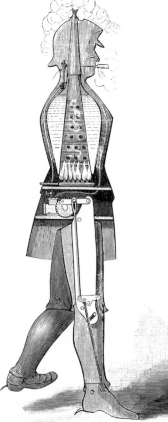

faisait constater aux spectateurs que la caisse était vide. Puis l'automate se mettait à jouer avec le premier venu comme partenaire et, apparemment, il jouait fort bien. Les incrédules se livrèrent à mainte tentative pour prouver qu'il s'agissait d'un truc ; on alla jusqu'à suggérer qu'un nain était caché dans la caisse ou dans la marionnette. Mais la vérité ne fut jamais découverte.

Pour nous, citoyens du vingtième siècle, ces automates apparaissent comme des mécaniques fort astucieuses et revêtues de beaucoup de charme, mais elles ne correspondent pas exactement à ce que nous considérons comme des robots. Toutes exécutent une série d'actes prévisibles et préétablis, dont certains fort complexes. Elles suscitent notre émerveillement devant l'intelligence des hommes qui les ont fabriquées ; mais elles ne peuvent guère nous convaincre qu'elles sont elles-mêmes intelligentes.

L'histoire de l'ordinateur

Pour réaliser quoi que ce soit qui se rapproche de l'idée que nous nous faisons d'un robot, il fallait attendre l'invention et la mise au point de l'ordinateur capable d'exécuter un programme. Le premier projet qui ait conduit à l'élaboration d'un ordinateur, c'est celui d'une machine à additionner. En un certain sens, le boulier, avec ses perles enfilées sur une ficelle, est déjà un ordinateur. Mais la première machine capable d'un certain calcul automatique est celle que fabri-

Une marionnette mécanique jouant du luth, construite aux environs de 1540 par l'Italien Gianello della Torre.

Le scribe construit par les Jaquet-Droz en 1770. Le mécanisme situé dans le corps du jeune garçon pouvait être réglé de façon à tracer n'importe quel texte comportant jusqu'à 40 lettres.

La musicienne de Jaquet-Droz (1773) joue de l'épinette au moyen de ses propres doigts et bouge les yeux et la tête ; sa poitrine se soulève comme si elle respirait.

qua, à Paris en 1642, Blaise Pascal. Toutefois, cette machine additionnait pour le moins aussi lentement qu'une personne et elle faisait probablement autant d'erreurs.

La précision du calcul posait de graves problèmes aux mathématiciens, de même qu'à tous ceux qui devaient recourir au calcul mathématique, comme les astronomes. Les tables de logarithmes donnaient des résultats très imprécis si les calculs originaux comportaient une inexactitude. Quand, en Grande-Bretagne peu après 1820, Charles Babbage établit le plan de sa première calculatrice, c'était l'un des problèmes qu'il tentait de résoudre, l'autre étant de concevoir une machine qui rendrait le processus laborieux du calcul plus rapide et moins ennuyeux. Vivant en Angleterre à l'époque de la révolution industrielle, il n'est pas étonnant que Babbage ait eu l'idée d'un appareil ressemblant à un moulin ou à un métier à tisser, probablement actionné par la vapeur, doté de multiples roues dentées destinées à « moudre » les chiffres.

Babbage dénomma sa première calculatrice la « machine différentielle » ; il en présenta divers modèles et persuada le gouvernement britannique d'investir de l'argent dans sa fabrication. Mais il fallut si longtemps pour concevoir et fabriquer les instruments nécessaires à la construction de la machine différentielle, et ces tâches préliminaires exigèrent un tel travail qu'après s'être querellé avec l'ingénieur qui l'assistait dans ses projets, et malgré les 17 000 livres sterling

que lui avait versées le gouvernement, Babbage dut renoncer à construire son engin. Cet échec était dû en partie au fait qu'à ce moment il avait conçu un projet encore plus ambitieux, la « machine analytique ». Celle-ci ne fut pas davantage fabriquée que la première, et il est bien difficile aujourd'hui de juger si les machines de Babbage auraient eu une utilisation pratique. Mais en tout cas, il existe en elles quelques éléments qui ressemblent à ceux des ordinateurs modernes. La « machine analytique » recourait à deux séries de cartes perforées. Les unes, dites « cartes variables », comportaient les chiffres devant servir aux calculs, et les autres, les « cartes d'opérations », indiquaient à la machine quelles opérations elle devait exécuter avec les chiffres des premières cartes.

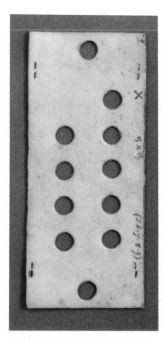

En haut : Modèle d'une partie de la machine analytique de Babbage, fort compliquée ; modèle réalisé par son fils et conservé au musée de la Science à Londres.

A gauche : Le métier à tisser la soie de Jacquard. A droite, formant un long ruban replié sur lui-même, la série des cartes perforées qui commandent aux fils du métier.

A droite : Une carte perforée du type qui aurait pu être utilisé dans la machine de Babbage. Ces cartes sont encore fondées sur le système décimal.

L'idée d'utiliser des cartes perforées pour guider une machine a été inspirée par les tisserands travaillant la soie. Lorsque ces artisans devaient tisser un motif compliqué, il leur fallait lever ou abaisser des centaines de minces fils à chaque stade de l'opération ; dans ces conditions, il eût été facile de faire une erreur et d'abîmer un coupon de tissu fort cher. Dans le métier à tisser Jacquard, ce problème fut résolu en confiant cette tâche à des cartes percées de trous : selon qu'il y avait ou non un trou à tel endroit, les fils se levaient ou s'abaissaient automatiquement et, de ce fait, dessinaient le motif désiré sans risque d'erreur.

On retrouve les cartes perforées dans une machine qui ressemble davantage aux ordinateurs contemporains que celle de Babbage. Elle fut conçue à la fin du XIXᵉ siècle, quand le flux des immigrants européens déferlant sur les États-Unis aggrava singulièrement les difficultés d'un recensement qui, en même temps, devenait essentiel. Les autorités se rendirent compte alors qu'il était indispensable d'entreprendre un nouveau recensement avant même que le précédent ne fût terminé, et la tabulatrice de Hollerith leur apporta la solution de ce problème. Les caractéristiques de chaque personne étaient enregistrées sur une carte normalisée. Par exemple, un trou était percé à un endroit déterminé de la carte pour indiquer le sexe de la personne, un autre à un autre endroit pour indiquer son âge, un autre pour l'importance de sa famille, un autre pour son pays d'origine. Pour savoir combien d'hommes âgés de trente ans étaient arrivés en provenance d'Italie, il suffisait alors de placer les cartes, l'une après l'autre, dans un « lecteur ». Dans cet appareil, la carte était surmontée d'une série de fils reliés à une pile électrique ; ces fils étaient appuyés sur la surface de la carte. Si celle-ci comportait des trous correspondant aux caractéristiques *homme*, *trente* et *Italien*, les fils passaient par les trous et entraient en contact avec une couche de mercure placée sous la carte. Ainsi se formait un circuit électrique, et un compteur situé à l'autre pôle enregistrait une impulsion ; dans le cas contraire, si les fils ne pouvaient passer par les trous, aucune

impulsion n'était enregistrée. C'est là le principe fondamental de tous les systèmes modernes d'ordinateurs, qui sont conçus selon un code dit *binaire* : un signal ou pas de signal.

Ce n'était plus ensuite qu'une question de temps pour que soit envisagée la possibilité de combiner les capacités de l'ordinateur moderne avec l'ingéniosité mécanique des fabricants d'automates du XVIIIᵉ siècle. C'était le début de l'élaboration d'un robot capable de fonctionner.

Ci-dessus : La tabulatrice de Hollerith résolut les problèmes des fonctionnaires américains lors du recensement de 1890.

Ci-contre : L'ENIAC (Calculateur-intégrateur électrique numérique) a été réalisé en 1946. Il pesait 30 tonnes et occupait une surface de 470 mètres carrés au sol. Ce fut le premier ordinateur moderne, bien qu'il nous paraisse aujourd'hui lent et encombrant. Les microplaquettes de silicium qu'on utilise aujourd'hui sont dotées d'une capacité ordinatrice plus grande que celle de cette pièce entière.

2. Les robots imaginaires

Dans son imagination, toute personne a une certaine idée du robot, idée qui a fort peu à voir avec les ordinateurs ou les mouvements d'horlogerie. On se représente en général les robots sous deux aspects : ou bien il s'agit de personnages revêtus d'une armure, ou bien ce sont des espèces de boîtes de conserve montées sur roues. D'autre part, les robots imaginaires tendent à adopter deux types opposés de comportement : ou bien ils sont amicaux, loyaux, travailleurs et un peu stupides ; ou bien il s'agit de criminels démoniaques qui ne songent qu'à tout démolir par pure méchanceté.

Les premiers robots fictifs

La notion populaire du robot ne provient certainement pas des tentatives historiques visant à en fabriquer un. Et les machines contemporaines qui fonctionnent actuellement dans notre monde industriel et méritent parfaitement le nom de robots ne se comportent pas et ne se présentent pas comme les « hommes de métal » que la fiction nous a rendus familiers. En fait, l'imagination humaine a depuis très longtemps donné naissance à des « robots », bien avant que la pièce de Karel Čapek leur ait donné leur nom actuel.

Dès le Moyen Age, de multiples légendes parlent de savants qui ont élaboré un homme avec de l'argile, la « poussière de la terre », et l'ont doté de vie grâce à quelque sortilège magique. Étant une imitation de ce que Dieu avait fait en créant Adam, il s'agissait évidemment d'un processus dangereux, et dans la plupart des cas l'expérience se retournait contre son auteur. Une des plus fameuses de ces histoires allait séduire tout particulièrement les premiers cinéastes, de sorte qu'on l'a vue réapparaître régulièrement sur les écrans. L'action s'en déroule à Prague au XVIᵉ siècle : on y voit un rabbin de la communauté juive de la ville fabriquer un Golem, c'est-à-dire un homme d'argile, qu'il dote de vie en plaçant sur sa langue une formule magique fondée sur le nom de Dieu. Ce Golem avait pour mission d'accomplir diverses tâches serviles pour aider le rabbin dans son travail. Mais, comme toujours dans ce genre d'histoire, quelque chose se détraque dans le mécanisme, et le Golem se livre à une orgie de destructions irresponsables, jusqu'à ce qu'on finisse par s'emparer de lui et par le détruire.

Dans le fameux roman de Mary Shelley, *Frankenstein ou le Prométhée moderne*, le monstre n'est pas un véritable robot. On le fabrique à partir de plusieurs morceaux de cadavres et la vie lui est conférée par l'électricité. Mais divers éléments de ce roman sont entrés dans la tradition de l'histoire des robots fictifs. Le savant fou qui crée un être vivant, le recours à l'électricité pour donner la vie à une chose inanimée, le calvaire du malheureux monstre créé pour la satisfaction d'un inventeur égoïste, toutes ces composantes se retrouvent dans des récits ultérieurs mettant en scène des robots. On y trouve aussi l'idée qu'il est extrêmement dangereux de jouer avec la création d'une vie artificielle et que cela détermine une pénalisation inévitable.

Les robots dans la science-fiction

Ce sont toutefois les auteurs de science-fiction du XXᵉ siècle qui sont vraiment responsables de la création de l'image du robot telle que tout le monde la connaît aujourd'hui. La littérature moderne a ainsi élaboré tout un ensemble de théories et de thèmes relatifs aux robots.

Dans beaucoup des premiers romans de ce type, les robots sont représentés comme des domestiques idéaux, des maîtres d'hôtel, des bonnes d'enfants et des compagnons loyaux. Dans un grand nombre de ces récits, on retrouve le schéma de l'intrigue du Golem. Un homme de science dément construit un robot destiné à le décharger de certaines tâches et à le distraire, mais le robot devient fou, démolit tout autour de lui, enlève des gens et les tue. En général, les robots sont physiquement plus forts

Ci-contre (gauche) : Le robot Robby est la vedette de deux films, *la Planète interdite* (1956) et *le Garçon invisible* (1957).

14

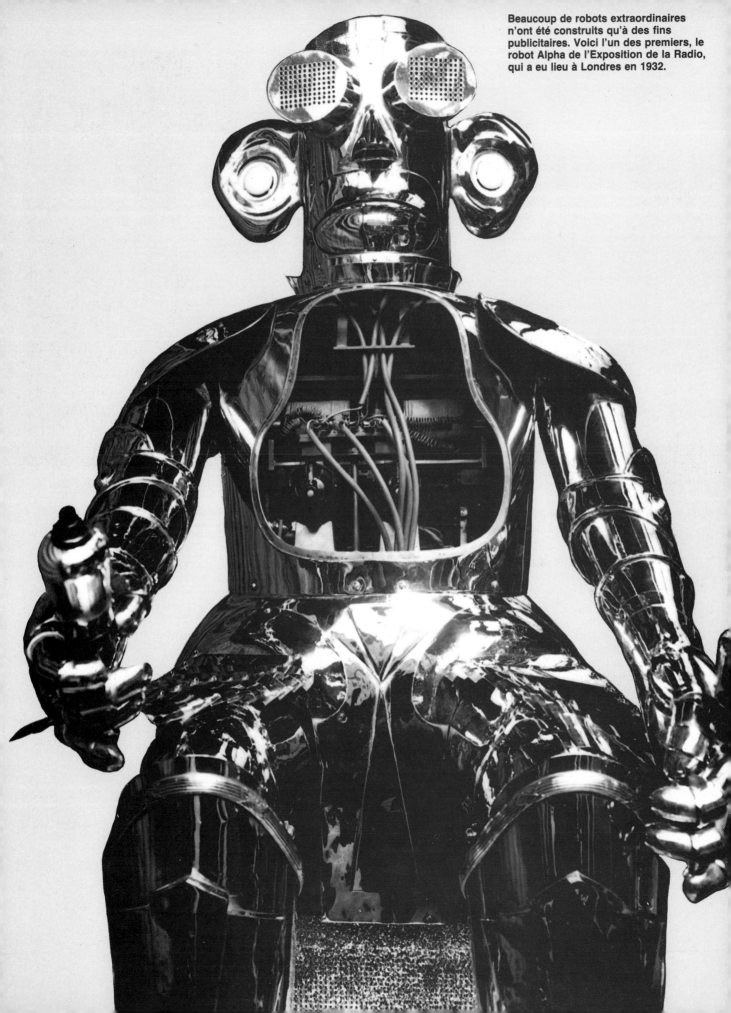

Beaucoup de robots extraordinaires n'ont été construits qu'à des fins publicitaires. Voici l'un des premiers, le robot Alpha de l'Exposition de la Radio, qui a eu lieu à Londres en 1932.

que les êtres humains mais nettement moins intelligents.

Ce n'est qu'assez récemment au XXe siècle, alors que les ordinateurs commençaient à devenir une réalité, que l'idée d'un super-cerveau, doté d'une intelligence bien au-dessus de la moyenne, donc capable de maîtriser l'humanité, est devenue un thème fréquent des récits de science-fiction.

La plupart des robots sont censés être dépourvus des émotions et des sentiments élevés de l'homme; mais par ailleurs, plusieurs intrigues sont fondées sur le développement de telles émotions chez un robot particulier, souvent suivi de conséquences fâcheuses.

Durant les années 30 et 40, on vit apparaître de plus en plus fréquemment l'idée de robots en provenance de l'espace. Beaucoup de ces robots étaient en fait de brutales machines de guerre, destinées à détruire toute vie sur la terre; d'autres, cependant, étaient des créatures bienveillantes et intelligentes.

Les robots inventés par la science-fiction sont évidemment différents les uns des autres, pour les besoins de l'intrigue de chaque roman. Néanmoins, au cours des ans, un certain nombre de conventions semblent s'être établies quant à la nature des robots. A cet égard, l'auteur qui a peut-être fait le plus pour fixer les idées du public, c'est Isaac Asimov. Dans une série de récits publiés au cours des 40, il a formulé les « trois lois de la robotique », selon lesquelles tous les robots devaient être construits.

Les trois lois de la robotique

Ces trois lois paraissent excellentes et, à première vue, parfaitement sans équivoque. Mais en fait elles sont pleines d'ambiguïtés, et ce sont ces ambiguïtés qui déterminent les détours particuliers, le « gauchissement » des intrigues des romans d'Asimov. Dans l'un d'eux, *le Menteur*, un robot a la faculté de lire dans les pensées : cela se révèle extrêmement fâcheux, car de ce fait, il ne dit aux gens que ce qu'ils veulent bien entendre, plutôt que de leur dire la vérité, car il considère qu'une vérité pénible peut faire du mal aux humains.

Dans un autre récit, *la Preuve*, un homme qui se présente aux élections pour la mairie de sa ville est sommé par son adversaire de prouver qu'il est un être humain et non un robot. La preuve semble administrée quand il frappe un de ses contradicteurs dans la foule : s'il s'était agi d'un robot, il n'aurait pu frapper un homme en raison de la première loi de la robotique, et il est donc élu maire. Mais le doute subsiste néanmoins, car le contradicteur, dans la foule, pouvait fort bien être lui-même un robot, placé là à dessein; or aucune loi n'interdit à un robot d'en blesser un autre.

Les lois d'Asimov ne convenaient évidemment pas aux auteurs qui voulaient décrire des robots dangereux, incontrôlables ou destructeurs. Mais beaucoup d'écrivains les ont adoptées et, de nos jours, elles ont conservé une autorité qui dépasse de loin l'œuvre d'un homme. Arthur C. Clarke a pu dire que certaines personnes y croient comme s'il s'agissait de lois naturelles et non d'idées formulées par un auteur pour quelques-uns de ses récits. Et l'on a par exemple fortement critiqué Clarke lui-même quand il a créé le personnage de « Hal », le robot ordinateur de *2001, l'Odyssée de l'espace*, qui viole la première loi d'Asimov en essayant d'éliminer l'équipage humain du vaisseau spatial. Mais contrairement à ce qu'imaginent certaines personnes, non seulement les hommes de science n'ont jamais eu l'intention d'appliquer ces lois à un robot réel, mais il serait parfaitement impossible de codifier un tel programme philosophique de façon qu'il s'adapte à la logique d'une machine.

Ci-dessus : L'androïde tirailleur du film *Mondwest* (1974) vient de prendre un sale coup : c'est Yul Brynner qui tient ce rôle.

Ci-dessous : Dans le roman d'Asimov *Petit robot perdu*, la robopsychologue Susan Calvin interroge un des robots de Nestor.

Les trois lois de la robotique

1. Un robot ne doit faire aucun mal à un humain et ne doit pas, par son inaction, le laisser subir un dommage.

2. Un robot doit obéir aux ordres donnés par les êtres humains, excepté si ces ordres sont en contradiction avec la loi n° 1.

3. Un robot doit préserver sa propre existence aussi longtemps que cette autoprotection n'est pas en contradiction avec les lois n° 1 et 2.

Ci-dessus : L'astronaute Bowman dans *2001, l'Odyssée de l'espace* (1968).

Ci-dessous : Boxey et son robot Muffitt dans le film *Battlestar Galactica* (1978-1979).

Ci-contre : Un être cybernétique dans le film *Dr. Who* (1974-1975).

En bas à droite : Les méchants Daleks mènent, dans le film *Dr. Who,* une guerre intergalactique sans merci.

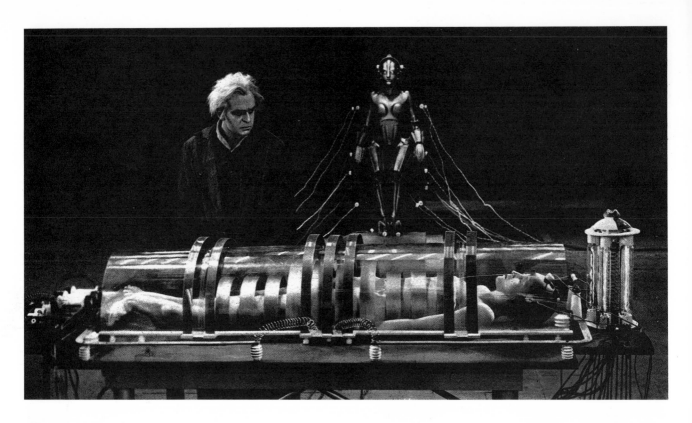

Les robots à l'écran

Ce sont donc les auteurs de science-fiction qui ont institué les règles fondamentales du comportement des robots. Mais c'est l'industrie cinématographique qui a vraiment familiarisé le grand public avec l'idée du robot. Dans les premiers films muets, les robots étaient présentés comme des individus de fer-blanc, à la conduite déconcertante. Ils avaient tendance à devenir fous, à démolir le mobilier, puis à exploser, se décomposant en une accumulation de fils et de roues dentées : cela permettait au cinéaste de porter à l'écran une action copieuse qui exigeait peu d'explications.

C'est seulement en 1927 que, pour la première fois, un robot a joué un rôle de premier plan dans un film muet d'une extrême puissance, *Métropolis* de Fritz Lang. Beaucoup d'images de ce film allaient influencer les réalisateurs au cours des années à venir. Ainsi la machinerie mise en œuvre pour donner la vie au robot devait être copiée de très près un grand nombre de fois et devenir la machine électrique classique dans laquelle tous les savants devenus fous enferment leurs victimes. Le robot lui-même (dans *Métropolis* c'est une femme), dans son armure métallique, a également exercé une influence certaine sur la forme des robots modernes, tel C-3PO de *la Guerre des étoiles*.

L'action de *Métropolis* est située dans l'avenir, en l'an 2000. Métropolis est le nom d'une cité immense et étrange, hérissée de gratte-ciel, créée et possédée par un seul homme, un industriel nommé Jon Frederson. La plupart des habitants de la ville sont des esclaves qui vivent dans le sous-sol des immeubles et travaillent dans des conditions cauchemardesques pour maintenir Métropolis en état de marche. Seuls quelques privilégiés mènent une vie luxueuse à la surface de la terre. Parmi eux se trouve le fils de Frederson qui, un jour, descend sous terre pour voir les ouvriers et est épouvanté par les conditions dans lesquelles ils sont obligés de vivre et, surtout, de travailler. Il s'éprend d'une jeune ouvrière, Maria, qui essaie de calmer certains travailleurs révoltés. Pendant ce temps, Frederson père a décidé de donner une leçon aux

Ci-dessus : Dans *Métropolis* (1927), le démoniaque Rotwang prend l'aspect de la vraie Maria pour animer son robot.

Ci-dessous : Dans le film *Torbor le Grand* (1954), le héros en titre prend soin du petit-fils de son inventeur.

ouvriers mécontents et même peut-être de s'en débarrasser complètement. Il charge le savant fou Rotwang de fabriquer un robot qui soit le sosie de Maria. « J'ai créé une machine à l'image de l'homme, qui ne se fatigue jamais ni ne fait d'erreur[1]... Nous n'avons plus besoin d'ouvriers vivants », dit l'homme de science dément. Cette phrase, aujourd'hui encore, nous donne le frisson, car elle évoque le danger tout à fait réel d'une automatisation mal utilisée. Le robot fabriqué par Rotwang dans le film nous apparaît d'abord sous une armure de métal ; mais il est ensuite métamorphosé, de façon à ressembler trait pour trait à la véritable Maria. Ce robot incite les ouvriers à la rébellion afin de fournir à Frederson un prétexte pour les anéantir. Mais la vraie Maria parvient à s'évader juste au moment où la révolte échappe à tout contrôle, et Frederson est obligé de réaménager sa ville, cette fois pour le bien de tous. La fausse Maria est brûlée sur un bûcher et, tandis que les flammes l'effleurent, elle redevient un simple robot de métal.

Un autre robot a exercé une influence considérable sur le cinéma : Robby, dans *la Planète interdite*, a été de très loin le robot cinématographique le plus populaire des années 50. Le film est très librement inspiré de *la Tempête* de Shakespeare. Un vaisseau spatial atterrit sur une planète lointaine ; ses occupants cherchent les traces d'une colonie spatiale qui, apparemment, a disparu vingt-cinq ans auparavant. Ils rencontrent le Dr. Morbius et sa fille Altaira, seuls survivants humains de l'expédition précédente. Le Dr. Morbius a

Ci-dessus : Le géant Gort dans le film *le jour où la Terre s'arrêta* (1951). A cette époque, les cinéastes recouraient surtout aux robots pour terrifier le public.

Ci-dessous : Dans les années 50, les robots apparaissent aussi comme des incarnations de la vie étrange des autres planètes ; celui qu'on voit ici est venu de Vénus (*Objectif Terre*, 1954).

Définitions des robots

ANDROÏDES : Robots construits pour ressembler à des humains (terme dérivé du grec). Dans le film *Alien*, l'officier Ash est un androïde.

CYBORG : Terme dérivé des mots CYBernétique et ORGanisme, qui désigne un être humain modifié par l'adjonction d'organes artificiels ou par le remplacement d'organes vivants par des prothèses. Dans le film *l'Homme de six millions de dollars*, Steve Austin est un « cyborg », et dans *la Femme bionique*, Jaime Sommers en est un également. On peut aussi considérer comme tel un robot doté d'un cerveau humain, tels les hommes cybernétiques du film *Dr. Who*.

DROÏDE : Abréviation d'« androïde » utilisée par les Américains pour désigner les robots qui, se conformant aux trois lois d'Asimov, sont totalement dévoués à leurs maîtres humains. Actionnés par énergie atomique, ils se déplacent sur des jambes, sur des roues ou sur des chenilles, et plus ils ont l'apparence humaine, plus ils sont censés être intelligents. Dans *la Guerre des étoiles*, C-3P0 et R2-D2 sont appelés des « droïdes ».

Boris Karloff dans le rôle du monstre de Frankenstein, en 1931. De nos jours, ce monstre passerait plutôt pour un androïde.

La Guerre des étoiles (1977) et *l'Empire contre-attaque* (1980) ont porté à l'écran deux nouveaux robots vedettes : C-3P0, le « droïde » chargé du protocole, et R2-D2, le « droïde » chargé du maintien de l'ordre. Les deux films comportent des robots de toutes les formes et de toutes les dimensions, qui aident ou entravent la belle princesse Leia et Luke Skywalker dans leur combat contre le démon cosmique Dartu Vader, empereur de la Galaxie.

A gauche : La princesse et Luke, accompagnés de leurs fidèles « droïdes », échappent une fois de plus à Dartu Vader.

Ci-dessus : Des soldats impériaux s'emparent de la princesse, de C-3P0 et de Chewbacca.

Ci-dessous : Les soldats impériaux avancent dans la neige.

Page en regard : Les meilleurs amis du monde, C-3P0 et R2-D2.

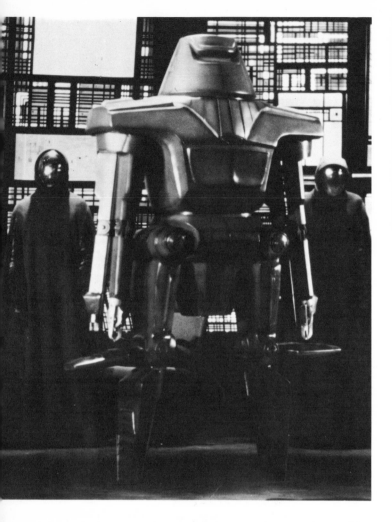

Ci-dessus : Le dernier
survivant du film *la Marche
silencieuse* (1971) joue au
poker avec deux des robots
qui l'accompagnent.

Ci-contre à gauche :
Maximilian, le méchant robot
du film *le Trou noir* (1980).

Ci-contre à droite : ON/OFF et
son compagnon, deux robots
du musée des Merveilles du
monde installé en Californie.

Page en regard : Un robot de
l'exposition de Budapest en
1937.

appris beaucoup de secrets de la race puissante qui, autrefois, habitait la planète en question, et en recourant à ces connaissances, il a fabriqué le robot Robby, qui sert aussi bien de domestique que de compagnon et de garde du corps attaché à la personne d'Altaira. Puis des forces mystérieuses entrent en jeu et causent la mort de plusieurs membres de l'équipage du vaisseau spatial : il s'avère que le Dr. Morbius est la cause inconsciente de ce drame. Robby lui-même ne joue, dans l'intrigue, qu'un rôle secondaire, mais c'était néanmoins la vraie vedette du film. Il avait été conçu selon les règles d'Asimov et ne pouvait faire de mal à un humain, même si son maître le lui ordonnait. Comme maître d'hôtel, il disposait de quelques trucs charmants : il avait entre autres le don précieux de pouvoir faire n'importe quel breuvage, n'importe quel mets à condition qu'on lui en fournisse un échantillon à analyser. Il procurait ainsi au capitaine du vaisseau spatial des litres de whisky ; inutile d'ajouter que celui-ci lui en était extrêmement reconnaissant.

C'est en 1968 que Stanley Kubrick a réalisé son célèbre film *2001, l'Odyssée de l'espace*, qui provoqua une sorte de révolution : pour les responsables des effets spéciaux, il était dorénavant, impossible, de se contenter de fabriquer des robots et des astronefs en fer-blanc ou en plastique bricolés avec des rivets comme par le passé. En effet, le film de Kubrick établissait à cet égard des normes entièrement nouvelles, et encore en 1981, les effets spéciaux de *l'Odyssée de l'espace* supportent la comparaison avec ceux de n'importe

quel film de science-fiction réalisé depuis lors. Hal, l'ordinateur tout puissant, poli et meurtrier, qui dirige le vaisseau spatial, n'est pas vraiment un robot, en ceci qu'il ne se déplace pas ; il n'existe que dans les limites de l'astronef, mais il sait exactement ce qui se passe partout. Il a néanmoins sa place parmi les robots fictifs, car c'est une machine fabriquée par l'homme et dotée d'une intelligence et d'une personnalité propres. Comme nous le verrons au chapitre IV du présent ouvrage, c'est « l'esprit » d'un robot — son ordinateur — qui en fait quelque chose de plus qu'un simple mécanisme automatique.

Les deux robots les plus célèbres du monde, C-3P0 et son compagnon R2-D2 dans *la Guerre des étoiles*, n'ont pas besoin d'être présentés ici. A eux deux, ils représentent les deux directions prises par la conception classique du robot. L'un est un chevalier médiéval en armure, avec un rappel délibéré de la Maria de *Métropolis ;* c'est le maître d'hôtel et le domestique. En revanche, R2-D2 est une boîte métallique montée sur roues, un robot non humanoïde, qui ne peut guère nous séduire que comme une sorte d'animal domestique, mais non comme le substitut d'un être humain.

Ces deux conceptions ont du reste toujours été l'une et l'autre limitées par la nécessité de disposer d'êtres humains, dans les machines ou derrière elles, pour les faire fonctionner. Les fameux Daleks du film *Dr. Who* sont toutefois un exemple assez ancien d'une tentative, honorablement réussie, de se passer complètement d'humains reconnaissables comme tels

Des robots divers ont paru dans des films à partir de 1890. On trouvera ci-dessous la liste de quelques-unes de ces productions avec, le cas échéant, le nom du ou des « robots-vedettes ».

Le Clown et l'Automate de Georges Méliès (1897), premier film à porter un robot à l'écran.

Le Golem de Paul Wagener et Henrik Galeen (1914), première version filmée de cette légende fameuse.

Métropolis de Fritz Lang (1927), avec Brigitte Helm en robot (Maria), sur un scénario de Thea von Harbou.

Le Jour où la terre s'arrêta de Robert Wise (1951), d'après *Farewell to the Master* de Harry Bates, ce film mettant en scène un robot agent de police nommé Gort.

Robot Monster (1953), film américain, met en scène un extraordinaire robot simiesque, Ro-man.

Gog (1954) nous montre deux robots non humanoïdes, Gog et Magog, qui se livrent à des actes de violence.

Torbor le Grand de Lee Sholem (1954) décrit un robot doté d'émotions.

La Planète interdite (1956) et le *Garçon invisible* (1957) ont comme vedette le robot Robby.

2001, l'Odyssée de l'espace de Stanley Kubrick (1968), une adaptation de *la Sentinelle* d'Arthur C. Clarke, nous présente HAL 9000, un cerveau artificiel qui prend le commandement absolu du vaisseau spatial *Discovery*.

Silent Running (1972), *la Marche silencieuse*, met en scène les trois robots Huey, Dewey et Louey.

La Guerre des étoiles (1977) et *l'Empire contre-attaque* (1979) de George Lucas, avec les « droïdes » C-3P0 et R2-D2.

Buck Rogers, feuilleton télévisé de 1979, met en scène Twiki.

The Shape of Things to Come (1979), tiré d'un roman de Wells qui avait déjà inspiré Alexander Korda en 1936, a pour vedette le robot Sparks, qui lutte pour le triomphe du bien.

Logan's Run (1976) est un film de Michael Anderson dépeignant un robot sculpteur devenu fou, Box.

dans un film. Mais souvent, et surtout à la télévision, où le budget dévolu aux effets spéciaux est limité, les robots tendent à être des androïdes, ou des hommes et des femmes artificiels, impossible à distinguer des gens de tous les jours... donc bien moins chers à filmer !

Grâce à la littérature et au cinéma, les robots, les androïdes, les organismes cybernétiques et les super-ordinateurs ont désormais acquis une place fermement établie dans l'imagination humaine. Après avoir joué longtemps les utilités, ils sont progressivement devenus des vedettes, des stars comiques ou dramatiques. Et pour la plupart des gens, l'image cinématographique du robot est celle à laquelle ils croient ; c'est celle qu'ils s'attendent à voir se muer en réalité dans un avenir pas trop lointain.

Woody Allen incarne un robot maître d'hôtel à lunettes dans le film *Woody et les robots* (1973).

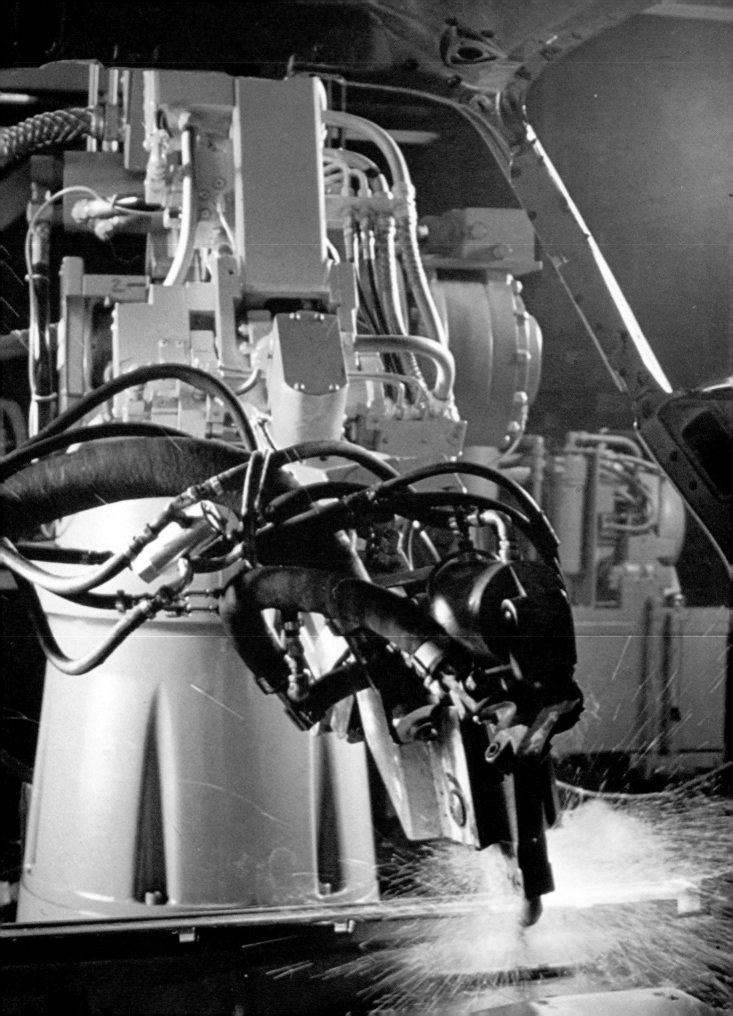

3. Les robots dans le monde réel

Il y a déjà des robots dans le monde réel. Mais ils ne pourraient être plus différents des Robby, C-3PO et R2-D2 et autres vedettes de la science-fiction. Dans l'action il peut être fort décevant de les regarder, jusqu'au moment où l'on comprend à quel point ils sont plus intelligents que n'importe quelle machine qui a existé avant eux. A l'heure actuelle, les robots connaissent fort bien leur place. Vous n'en trouverez pas qui jouent le rôle de domestique ni qui se promènent dans les rues. Ils travaillent tous dans des usines.

Dans le monde contemporain, les robots sont quelque chose de si nouveau que personne n'est parvenu à en donner une définition satisfaisante. Les ingénieurs sont en train de se mettre d'accord sur une description du genre de celle-ci : *un manipulateur mécanique doté de plusieurs degrés de liberté (en général cinq ou six) et capable d'être programmé pour plus d'une seule tâche.* On pourrait donner une autre définition ainsi conçue : *un morceau de métal aveugle, sourd et muet, fixé au sol, doté d'un seul bras et de la sensibilité tactile d'un homme portant des gants de boxe.*

Dans la première définition, l'expression « degrés de liberté » se rapporte simplement à un certain nombre de types de mouvement. Une charnière, par exemple, a un seul « degré de liberté » : elle peut s'ouvrir vers le haut et se fermer vers le bas. Un joint à rotule en a trois : il permet de lever et d'abaisser, d'aller à droite et à gauche et, enfin, de pivoter. Essayez de bouger votre bras selon toutes ses articulations, épaule, coude et poignet : chacune d'elles permet le mouvement dans plus d'une direction, et il en résulte qu'en combinant tous ces mouvements vous pouvez atteindre de la main n'importe quel point à votre portée.

Dans un robot, il est plus simple de disposer d'articulations séparées pour chacune des directions qu'on désire atteindre : vous pouvez vous en rendre compte d'après l'illustration ci-dessous. Plus le bras du robot dispose de degrés de liberté, plus il est souple.

Les robots de la première génération

La plupart des robots utilisés aujourd'hui dans l'industrie sont d'assez grandes dimensions. Ils remplissent l'espace dont devrait disposer un être humain s'il avait à faire quelques pas dans toutes les directions pour exécuter le travail qu'il est en train de faire. Cela n'est pas surprenant car, à l'époque où ils ont été conçus, ces robots devaient s'adapter à des usines prévues pour le travail humain et non pour celui des robots. Et comme la plus grande partie du travail accompli par cette *première génération* de robots (comme on les appelle) implique de soulever des objets très lourds, il fallait qu'ils soient massifs et robustes. Ces robots-là sont actionnés électriquement, soit de façon directe, soit par l'intermédiaire d'une force hydraulique ou pneumatique.

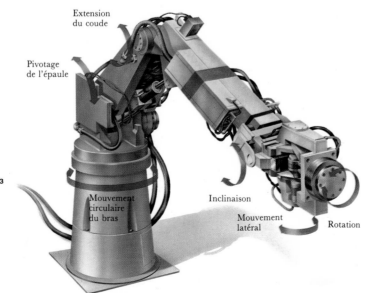

Extension du coude

Pivotage de l'épaule

Mouvement circulaire du bras

Inclinaison

Mouvement latéral

Rotation

Page en regard : Le robot T³ de la firme Milacron (Cincinnati) en train de souder par points.

Ci-contre : Diagramme du robot de la firme Milacron, montrant les six degrés de liberté dont il dispose.

Aucun robot de cette première génération n'a rien qui ressemble à une main humaine polyvalente. Au lieu de se servir d'une main pour tenir l'outil destiné à un travail particulier, le robot s'en passe, car sa « main » est... l'outil lui-même. Il peut s'agir d'une pince spécialement conçue pour saisir quelque chose et le soulever, d'un pistolet à soudure, d'un tournevis motorisé. Ce processus comporte bien des avantages. Imaginez, par exemple, que vous soyez capable de visser avec votre poignet tournant continuellement dans la même direction, au lieu de devoir, à chaque tour, reprendre le tournevis après avoir remis votre poignet dans sa posture initiale ! Mais le comportement du robot présente aussi des inconvénients : il revient souvent très cher de mettre au point les pinces et autres dispositifs particuliers nécessaires à chaque activité spéciale, et il est incommode de devoir changer l'accessoire placé à l'extrémité du bras du robot chaque fois qu'il doit entreprendre une tâche nouvelle.

Les robots gagnent leur vie

Les robots, même ceux de la première génération, sont encore assez rares. Selon une estimation récente, il en existe à peu près huit mille dans le monde entier. Mais leur nombre ne cesse d'augmenter. Une de leurs utilisations courantes, surtout quand il s'agit du type de robot le plus simple, c'est ce qu'on appelle dans l'industrie *pick-and-place* (« prendre et mettre en place ») : le robot est utilisé pour transférer certains éléments d'un endroit à un autre. Il peut s'agir, par exemple, de saisir des pièces détachées sur une palette et de les placer sur une courroie de transport.

A cet égard, le robot peut s'acquitter d'une tâche particulièrement utile : prendre des pièces coulées de métal ou de plastique brûlantes dans les presses où elles ont été fabri-

Ci-dessous : Robot suédois Asea alimentant une machine de moulage en coquille dans une fonderie.

Ci-contre : Beaucoup de robots travaillent en collaboration avec des humains. Ce robot Unimate transmet des pièces d'une machine de moulage en coquille à un ouvrier qui les inspecte.

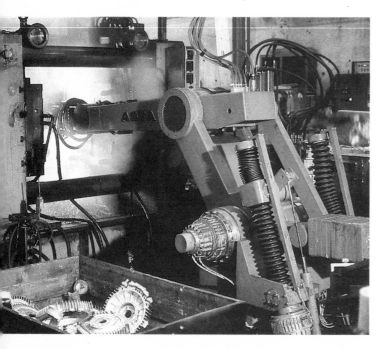

quées. Retirer heure après heure d'une presse fumante, pleine de vapeurs malodorantes, des pièces de métal coulé, comme par exemple des carters de boîtes de vitesses en aluminium, c'est pour un être humain un travail épuisant et très désagréable ; alors qu'un robot s'en acquitte sans la moindre objection. Il peut saisir la pièce dans sa « main » nue dès que la presse est ouverte, puis la plonger dans un bain d'eau pour la refroidir, avant de la tendre à un ouvrier qui se tient à une distance raisonnable. En plongeant la pièce dans l'eau, le robot refroidit aussi sa « main ». D'autre part, le laps de temps durant lequel la pièce demeure dans la presse comporte une valeur critique : comme le robot ne se fatigue jamais et n'a jamais de moments d'inattention, la qualité des pièces coulées peut être très supérieure à ce qu'elle serait si un homme était responsable de leur manipulation.

La génération actuelle de robots tend à se spécialiser dans des tâches périlleuses, à haute température et traitant des objets très lourds. Cela provient en partie de ce que les législations relatives à la sécurité et à l'hygiène des conditions de travail des humains deviennent de plus en plus sévères, et en partie de ce que les ouvriers eux-mêmes deviennent de plus en plus réticents quand il s'agit de travailler dans des milieux hostiles et dangereux.

La peinture au pistolet en est un bon exemple. C'est par ce procédé que sont peintes les voitures, afin qu'elles aient le brillant qu'on en attend. Mais le vernis ainsi projeté ne se borne pas à revêtir la voiture, il reste en suspension dans l'atmosphère du local et peut léser les poumons du peintre et même incommoder d'autres ouvriers de l'usine. Si perfectionnés que soient le masque porté par le peintre et le système de vaporisation, quelques particules de la peinture échappent toujours à ces précautions. En revanche, si l'on installe un robot dans un local hermétiquement clos, les problèmes d'hygiène ne se posent plus.

Ainsi, quand il s'agit de travaux de ce type, il y a fort peu de risque que les robots mettent au chômage des ouvriers qui, de toute façon, ne voulaient plus s'acquitter de telles tâches. Mais à l'avenir, comme on va le voir, la situation pourrait être différente.

Les robots soudeurs

La plupart des robots industriels existant actuellement dans le monde sont sans doute utilisés pour la soudure par points, principalement dans l'industrie automobile. Les coques de voitures sont composées de plusieurs éléments séparés, qu'il faut fixer les uns aux autres et au châssis. Plutôt que de faire une soudure continue, on préfère procéder à une série de soudures par points aux endroits cruciaux de la voiture. Sur les chaînes de montage traditionnelles, ce sont des ouvriers qui y procèdent au moyen d'un pistolet à souder, qu'ils placent dans la position exacte nécessaire pour souder un point précis avant que la voiture en fabrication ne passe à l'ouvrier suivant. Quand cette tâche est effectuée par un robot, le pistolet n'est autre que le doigt même du robot, qui vise avec précision tous les points à souder. On recourt également à des robots pour effectuer la soudure continue à l'arc, mais cette opération présente davantage de problèmes, comme on le verra au chapitre 4.

Il y a peu de temps encore, on ne voyait pas de robots utilisés pour les travaux de montage, ce qui cependant pourrait paraître une tâche idéale pour eux. Cela tient en partie au fait que la première génération de robots tendait à être encombrante et maladroite, mieux adaptée au levage d'objets lourds qu'à un travail de précision. Mais c'est aussi

Ci-contre : Les robots peuvent décharger et empiler ces lingots pendant des heures, évitant ainsi à des hommes un travail à la fois épuisant et fastidieux.

Ci-dessous : Robot norvégien Trallfa recouvert d'une housse protectrice pendant qu'il peint au pistolet des cadres de bicyclettes : même les robots risquent d'être affectés par les particules de peinture suspendues dans l'atmosphère !

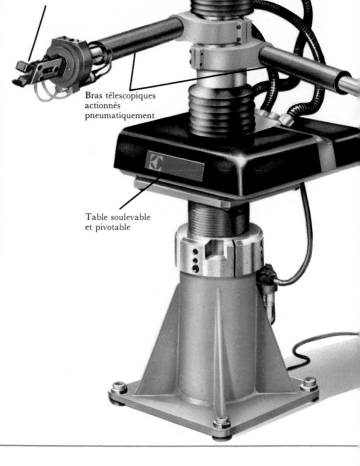

Pince

Bras télescopiques
actionnés
pneumatiquement

Table soulevable
et pivotable

Les robots qui prennent et posent (« Pick-and-Place »)

C'est le type le plus simple de robot : il est doté de bras qui prennent une pièce et la mettent en place, et ces bras sont pourvus d'arrêts mécaniques dont la position peut être préétablie. On les programme au moyen de connexions électriques sur un tableau, mais de nos jours, dans beaucoup de cas, ce tableau a été remplacé par un micro-ordinateur. Ci-dessus : photo d'un robot accomplissant une tâche typique le transfert de pièces d'une machine à une autre.

parce que les travaux de montage exigent des robots plus intelligents et au toucher plus subtil que ceux dont on dispose actuellement. On est en train de faire l'essai d'un nouveau robot, petit et précis, le Puma, conçu conjointement par Unimation et par la General Motors, et destiné aux travaux de montage.

Bien que ces robots industriels ne ressemblent en rien à ceux de la science-fiction, on éprouve à les voir agir l'impression étrange qu'ils sont vivants. Ils n'ont pas l'air d'êtres humains mais font songer à des oiseaux obsédés, picorant sans cesse le même objet.

Comment ils fonctionnent

Qu'est-ce qui rend les robots si différents de toutes les autres machines utilisées en usine ? La réponse à cette question se trouve dans leur définition : ils sont *programmables*. On peut les programmer, c'est-à-dire leur enseigner à effectuer une tâche particulière d'une certaine manière. Après cela, le robot refera sans fin et de façon identique le même geste, jusqu'au moment où on lui apprendra à faire autre chose. C'est ce dernier point, la « souplesse » du robot, qui le rend si utile : de ce fait, des robots d'une conception générale identique peuvent effectuer des tâches très différentes les unes des autres, comme la soudure ou le chargement. La même machine peut même s'acquitter alternativement de l'un et l'autre travail, en modifiant seulement un peu l'équipement qui en garnit l'extrémité.

Pour voir comment un robot fonctionne, il est instructif de regarder d'abord le type le plus simple, celui que nous avons

désigné par le terme anglais *pick-and-place*. Outre son bras, le robot dispose d'une boîte de commande qui, sous sa forme la plus simple, comporte un tableau de connexions, avec des fiches mobiles capables d'établir plusieurs connexions différentes entre des fils de commande divers ; au-dessous se trouve le module moteur. Le bras lui-même est pourvu de dispositifs de blocage mécaniques, qu'on peut déplacer de façon à empêcher tout mouvement ultérieur du bras dans une direction particulière. Pour programmer la machine, on commence par placer les dispositifs de blocage dans la position désirée ; puis on branche les prises sur le tableau de connexions de façon que telle articulation du bras se meuve dans telle direction selon un ordre donné. Après quoi la machine est mise en marche. Ce robot-là est plutôt maladroit, car chaque mouvement du bras s'effectue à fond jusqu'au moment où il est arrêté par le dispositif de blocage. Mais il fonctionne bien quand il est chargé de missions qui lui conviennent.

Les servomécanismes

Pour produire n'importe quelle action plus compliquée, les ingénieurs recourent aux *servomécanismes*. Le premier exemple en est, historiquement, le régulateur installé par James Watt sur son moteur à vapeur. Mais nous disposons d'exemples plus familiers : le processus de rétroaction *(feed-back)* qui permet de régler le chauffage central au moyen d'un thermostat en est un (voir le diagramme p. 29). Le thermostat est un thermomètre mais en même temps un interrupteur. Il réagit

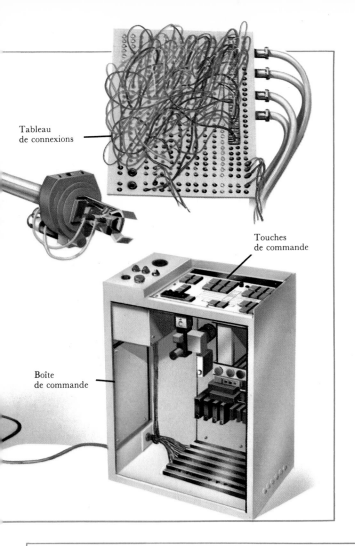

Tableau
de connexions

Touches
de commande

Boîte
de commande

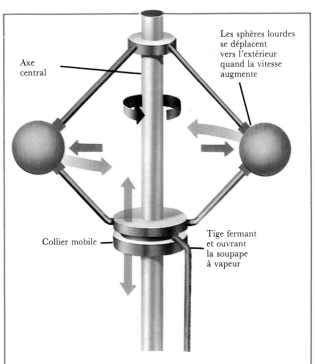

Axe
central

Les sphères lourdes
se déplacent
vers l'extérieur
quand la vitesse
augmente

Collier mobile

Tige fermant
et ouvrant
la soupape
à vapeur

Un régulateur commande la vitesse d'un moteur en agissant sur la quantité de vapeur admise. La vapeur fait tourner l'axe central, ce qui entraîne l'éloignement, par force centrifuge, de deux sphères lourdes ; de ce fait, le collier mobile remonte le long de l'axe, et ce mouvement provoque la fermeture d'une soupape, ce qui réduit l'accès de la vapeur et ralentit le moteur.

Systèmes de commande ouverte et fermée

Commande ouverte : en commande ouverte, un système en déclenche un autre, mais il n'y a pas rétroaction continue ni transmission d'information de l'un à l'autre. Dans la maison ci-dessous, le thermostat ne se trouve pas dans la même pièce que le radiateur ; de ce fait, il maintiendra la chaudière en marche jusqu'au moment où la pièce extérieure aura atteint une certaine température et la chambre contenant le radiateur deviendra de plus en plus chaude.

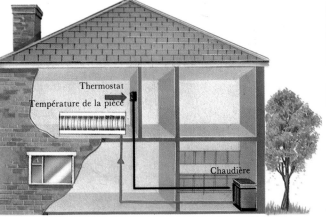

Thermostat

Température de la pièce

Chaudière

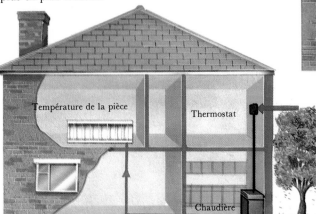

Température de la pièce

Thermostat

Chaudière

Commande fermée : dans la maison ci-dessus, le thermostat placé dans la pièce chauffée et la chaudière du chauffage central située dans le local du bas travaillent en tandem. Si la température tombe au-dessous de celle sur laquelle est réglé le thermostat, celui-ci met en marche la chaudière ; quand la température monte plus haut que celle sur laquelle est réglé le thermostat, celui-ci arrête la chaudière. Ainsi, une température constante est maintenue du fait que l'information est continuellement transmise d'un système à l'autre.

continuellement à la température et, de ce fait, met en marche et arrête la chaudière ; c'est ce qu'on appelle une commande en circuit fermé (ou, justement, *feed-back*).

De même, on peut doter un robot d'informations qui lui permettent de régler son comportement jusqu'à ce qu'il ait atteint la position souhaitée. On programme d'abord le robot de façon que l'articulation du bras se trouve dans la position finale qu'on souhaite lui donner. Puis des détecteurs de position, placés dans l'articulation, envoient des messages au mécanisme qui actionne le robot pour l'informer de la position réelle de l'articulation du bras : le mécanisme, en réponse, déplace le bras jusqu'au moment où lui parvient l'information, captée et renvoyée par le même détecteur, que l'articulation a atteint la position souhaitée. Cette description semble très compliquée, mais ce n'est rien d'autre que le genre de chose que vous ne cessez de faire avec votre propre corps, sans même vous en rendre compte. Si vous ne disposiez pas de multiples dispositifs de rétroaction de toute sorte, vous ne pourriez même pas vous tenir debout.

La mémoire

Un robot équipé de servomécanismes, de façon telle qu'il sache exactement où en sont ses articulations à n'importe quel moment, constitue déjà un grand progrès. Ce qu'il lui faut ensuite, c'est une *mémoire* d'un certain type. A sa façon, le tableau de connexions est bien une sorte de mémoire, puisqu'il peut « mémoriser » une suite d'actions ; mais il est trop encombrant pour servir à autre chose qu'à des programmes très brefs. Les robots plus élaborés disposent tous de mémoires électroniques, composées de tores magnétiques, de transistors ou de fils, qui peuvent emmagasiner plusieurs programmes et passer de l'un à l'autre sur demande. Les programmes peuvent être enregistrés magnétiquement sur bande, sur disque ou sur ruban perforé, et « mis » dans la mémoire le moment venu. Si l'on y ajoute un circuit de *commande numérique*, on dispose d'un robot très utile, courant dans l'industrie contemporaine.

Comment l'on instruit un robot

Tous les robots normalisés comportent ce qu'on peut appeler « un mode d'instruction ». En général, c'est l'ingénieur chargé de sa supervision qui enseigne au robot ce qu'il doit faire, car il est déjà très au courant du travail pour lequel ce robot est conçu. Disons que le robot doit soulever quelque chose, le déplacer vers un autre endroit et le déposer. Le « maître » tient en main un organe d'enseignement, sorte de calculatrice dotée de touches qui commandent les articulations du robot et peuvent leur donner la direction voulue ; l'organe d'enseignement comporte aussi une touche enregistreuse (mémoire). L'ingénieur appuie lentement sur chaque touche de direction pour faire avancer une à une les articulations du robot jusqu'à l'emplacement exact qui convient pour soulever l'objet que le robot doit prendre. Parfois, il aura déplacé l'articulation plus qu'il ne convient et il devra manœuvrer la touche de façon à faire revenir le bras en arrière. Quand l'ingénieur est tout à fait satisfait du mouvement d'une articulation donnée, il appuie sur la touche enregistreuse, ce qui permet de mettre ce mouvement en mémoire ; puis il passe au mouvement suivant.

Quand on fait repasser le programme ainsi établi, le robot n'a en mémoire que les positions initiale et finale de chaque mouvement et il exécute ceux-ci à une vitesse constante, sans plus avoir besoin de toutes les mises au point, arrêts et remises en route, auxquelles le « maître » a dû procéder pour obtenir avec précision la position nécessaire.

Les ingénieurs procèdent souvent à des essais successifs des programmes et mettent ceux-ci au point durant des semaines jusqu'à ce qu'ils aient obtenu la meilleure succession possible

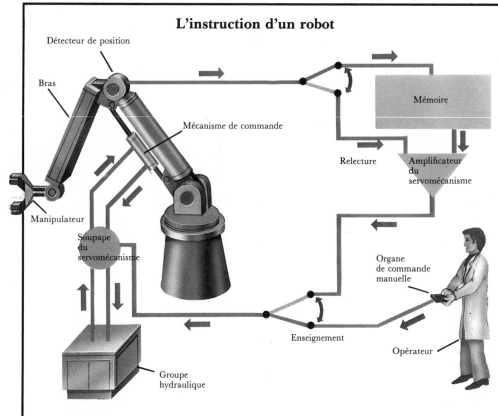

L'instruction d'un robot

Détecteur de position

Bras

Mécanisme de commande

Manipulateur

Soupape du servomécanisme

Groupe hydraulique

Mémoire

Relecture

Amplificateur du servomécanisme

Organe de commande manuelle

Enseignement

Opérateur

L'opérateur appuie sur une touche qui ouvre la soupape du servomécanisme et permet au système hydraulique d'actionner le cylindre du robot ; le bras de celui-ci se met en mouvement. Quand il a atteint la position désirée, l'opérateur appuie sur la touche d'enregistrement. A ce moment, l'information du détecteur de position se trouve emmagasinée en mémoire. Durant la relecture *(playback)*, l'information enregistrée dans la mémoire est comparée avec celle que donne le détecteur de position grâce à l'amplificateur du servomécanisme. Ainsi, le robot sait quand il a atteint la position enregistrée par l'opérateur. Toute la séquence des mouvements que le robot devra effectuer en travaillant doit lui être ainsi enseignée, étape par étape ; elle sera ensuite contrôlée continuellement par la mémoire.

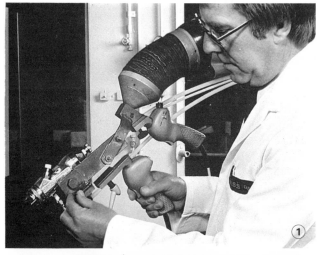

(1)

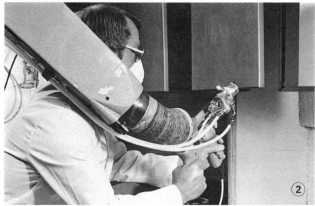

(2)

des mouvements imposés au robot. Il peut être fort difficile de programmer un robot lorsque celui-ci doit travailler en synchronisme avec d'autres éléments mécaniques également en mouvement. Parfois il faut programmer plusieurs robots qui travaillent ensemble à la même tâche : tel est par exemple le cas lorsque plusieurs robots effectuent en même temps la soudure par points d'une seule voiture. Il peut être fort long de parfaitement élaborer des programmes qui permettent à ces robots de commencer et de terminer leur travail au même moment sans se gêner les uns les autres ; c'est ce qu'on appelle la « chorégraphie des robots ».

Enseignement d'un trajet continu

La programmation que nous venons de décrire est dite « ponctuelle » ; les robots instruits de cette manière servent à la soudure par points ou au déplacement d'objets. Le début et la fin de chaque mouvement étant, ici, seuls programmés, le robot agit de façon assez violente et saccadée, se tournant brusquement, s'arrêtant puis repartant aussi rapidement. Pour certaines tâches, cependant, on requiert des mouvements beaucoup plus doux.

C'est par exemple le cas pour la peinture au pistolet. Les robots qui exécutent ce travail ont besoin d'avoir en mémoire un très grand nombre de points intermédiaires et de suivre exactement chacun des mouvements que leur enseigne leur « maître ». Ici, celui-ci ne recourt pas au même « organe d'enseignement » que pour la programmation ponctuelle ; il conduit le pistolet adapté au robot selon un trajet continu et enregistre ce trajet sur mémoire. A nouveau, il va peut-être lui falloir des semaines pour affiner suffisamment le programme de façon que la peinture soit étalée le plus également possible. Si l'objet qui doit être peint se trouve sur une courroie de transport et comporte diverses surfaces à peindre formant des angles divers, il peut être extrêmement difficile

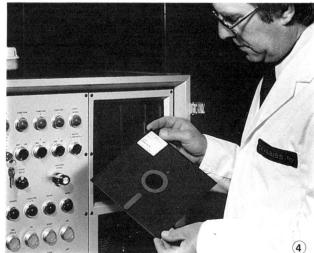

(4)

(3)

Cette série de photographies illustre la méthode d'enseignement en continu pratiquée pour apprendre aux robots à peindre au pistolet. (1) L'instructeur fixe une poignée d'enseignement au bout du bras du robot, sous le pistolet. (2) L'instructeur dirige à la main le fonctionnement du robot ; simultanément, l'action du robot est enregistrée dans sa mémoire. (3) Le robot refait le même travail tout seul ; désormais, son schéma de fonctionnement ne variera plus. (4) La séquence des mouvements nécessaires a été enregistrée pendant qu'on instruisait le robot ; on pourra dès lors insérer ce programme dans la console de commande du robot chaque fois que ce sera nécessaire.

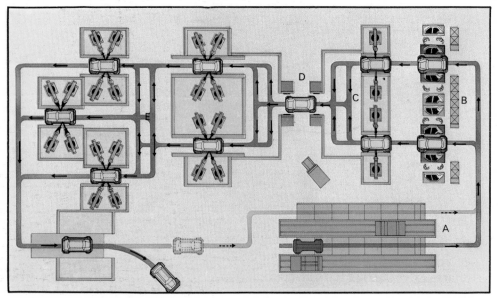

Ci-dessus : « Fabriqué main par des robots » : une voiture défile doucement devant le poste de soudure de la chaîne Robogate chez Fiat.

Ci-contre : Disposition de l'atelier de carrosserie de la chaîne Robogate. En A, le nouveau châssis se présente ; en B, les panneaux latéraux sont mis en place dans des gabarits ; en C, ils sont agrafés sur le châssis ; en D, leur alignement est contrôlé et ils sont, soit mis de côté si la mesure n'est pas bonne, soit transmis au poste suivant, E, où ils sont définitivement soudés. Le poste E comporte plusieurs stations différentes, car chaque robot est chargé de souder une zone bien définie de la voiture.

machines entièrement automatiques fabriquent des pièces dont on a besoin par millions, par exemple dans l'industrie des télécommunications. Certains éléments de ces machines peuvent être d'utilité générale (par exemple ils peuvent servir à la fabrication de pièces différentes les unes des autres), mais la plupart sont conçus de façon à effectuer un travail précis et un seul.

Ces machines automatiques ne sont pas des robots, car, contrairement à ce qui se passe chez ceux-ci, deux machines complètement identiques ne peuvent effectuer deux tâches complètement différentes. Elles peuvent être ingénieuses et très efficaces mais elles ont un inconvénient majeur : si l'on veut modifier d'une manière ou d'une autre le produit qu'on fabrique, il faut aussi modifier la machine, souvent à grands frais. Les machines automatiques sont idéales quand on sait qu'on va fabriquer exactement le même produit, en très grandes quantités, année après année. On a donné à ce type de machine le qualificatif de « spécialisée », car elle a pour spécialité de faire une chose et toujours la même. Il est probable qu'une machine spécialisée travaille plus vite et mieux qu'un robot, de sorte qu'une usine qui produit une « spécialité » (et une seule) n'aura pas, en général, l'usage d'un robot.

Les robots sont, en revanche, d'un usage idéal dans ce qu'on a pu appeler la « production par lots ». Prenons l'exemple d'une usine spécialisée dans le métal coulé. Cette usine reçoit des commandes de différentes industries. Elle peut fabriquer des carters de boîtes de vitesses, des supports de mixers et des voitures-jouets pour enfants. Dans une usine de ce genre, on peut programmer des robots de façon à servir à la fabrication de tous ces différents produits ; il y aura seulement besoin de moules différents pour chacun d'eux. Un robot peut être utilisé pendant un mois pour retirer de la presse les supports de mixers ; puis, comme Noël approche, on passera à la production d'autos-joujoux et le robot s'acquittera tout aussi bien de cette tâche. Une fois le programme bien mis au point, il n'y a aucune perte de temps pour faire passer le robot d'un travail à un autre.

Les robots et la mode

Les robots se révèlent très utiles dans les industries fabriquant un produit constamment affecté par le changement de mode. Ainsi l'industrie automobile, dans laquelle la mode joue un rôle à la fois essentiel et coûteux. Pour persuader les clients d'acheter de nouvelles voitures, les fabricants en changent sans cesse l'aspect extérieur. Mais chaque fois qu'ils modifient le style d'une voiture, ils sont aussi obligés de mettre au rancart leurs machines automatiques et d'en faire de nouvelles. Mettre en train une nouvelle chaîne de montage, c'est là un processus long et onéreux. Si l'on introduit des robots dans le circuit, cela reviendra peut-être encore plus cher ; mais une fois que l'usine en disposera, elle n'aura plus qu'à les reprogrammer à chaque fois qu'elle voudra changer la ligne de ses modèles.

Ainsi, le robot apporte de la souplesse à la production en série. Autrefois, celle-ci ne pouvait être rentable qu'en mettant sur le marché exactement le même objet à des millions d'exemplaires. Or, déjà aujourd'hui, alors qu'on ne dispose que de robots de la première génération, on détient la possibilité de faire varier le produit sans en accroître le coût.

Le système Robogate

Selon la façon dont les robots sont utilisés dans une usine, celle-ci dispose d'une souplesse plus ou moins grande. Un des systèmes les plus souples, à ce jour, a été réalisé à l'atelier de

de définir le meilleur ordre dans lequel elles doivent être traitées. C'est donc en général le meilleur peintre de l'usine qui sert de maître au robot. Mais une fois que le programme aura été bien mis au point, le robot peindra tous les objets de façon équivalente : les normes de peinture resteront invariables.

L'automation et les robots

La génération actuelle de robots rend de grands services en ce qu'elle permet à nombre d'activités mécaniques d'être automatisées. Mais tout le monde sait que l'automation existe depuis longtemps dans les usines : qu'y a-t-il donc de particulier dans les robots ? La réponse est, de nouveau, qu'ils sont *programmables*.

Une machine automatique, c'est une machine spécialement conçue pour une tâche particulière : prenons l'exemple d'une machine qui remplit des bouteilles d'une quantité précise de liquide, leur met un bouchon ou une capsule et les place dans des cartons de six unités. Cette embouteilleuse effectue toutes ces opérations de façon rapide et efficace, sans intervention humaine (sauf s'il y a panne dans le processus). D'autres

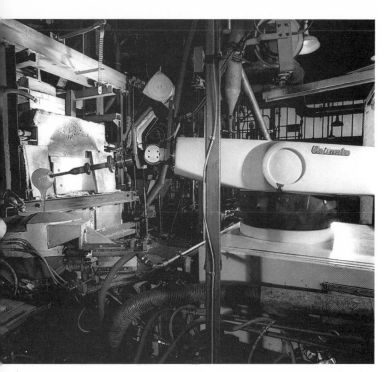

Ci-dessus : Un robot Unimate verse du verre en fusion à 1 200 °C dans un moule. A une telle température, un être humain se fatiguerait très rapidement.

Ci-dessous : Un robot soudeur au pistolet de la régie Renault. Il travaille ici sur une pièce tenue en place par un gabarit spécial.

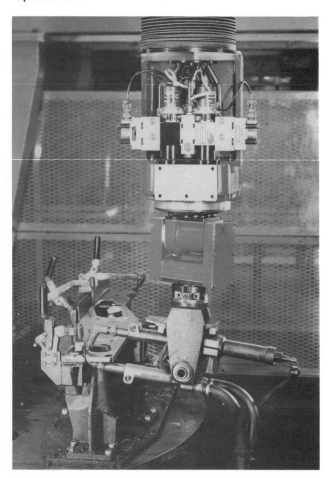

carrosserie des usines Fiat à Turin. Dans une chaîne normale de montage pour automobiles, on a une courroie de transport ou un rail qui traverse tout l'atelier, en passant par les divers postes de travail, de façon que les ouvriers puissent progressivement ajouter et fixer les divers éléments de la carrosserie : la voiture achevée sort à l'extrémité de la courroie ou du rail. Chaque poste est chargé d'une tâche précise et d'une seule ; aucun poste ne refait, plus loin dans la chaîne, ce qu'a fait un des postes précédents. Chez Fiat, où tous les principaux éléments de la carrosserie sont soudés par points, il n'existe aucune chaîne de montage traditionnelle. Les carrosseries arrivent dans une aire dite « Robogate », amenées par un convoyeur aérien. Quelques soudures d'agrafage ont été faites préalablement pour que les éléments de la coque tiennent suffisamment ensemble et puissent être abaissés automatiquement et déposés sur une plate-forme peu élevée au-dessus du sol. La carrosserie demeurera sur cette plate-forme jusqu'à la fin de ce stade de travail. La plate-forme peut se déplacer dans tous les sens dans l'aire suivant des rails magnétiques installés au sol. Le trajet particulier qu'elle effectuera est déterminé par l'ordinateur qui commande l'opération tout entière.

La soudure se fait en diverses étapes avec, en œuvre à chaque stade, plusieurs robots programmés de manière à souder par points les divers éléments de la carrosserie sans se gêner les uns les autres. A chaque stade de l'opération, il y a plus d'un poste chargé du même groupe de soudures. L'ordinateur décide à quel poste il doit envoyer chaque coque, de façon que normalement une coque succède à l'autre dès qu'un poste est vacant. Les voitures glissent silencieusement d'un poste de soudure à un autre ; elles peuvent y pénétrer de part ou d'autre et l'ordinateur veille à ce que le travail s'effectue de façon fluide, sans embouteillages.

Ce système permet une très grande souplesse. Comme l'ordinateur surveille chaque voiture en cours de montage grâce à la numérotation des plates-formes sur lesquelles elles se trouvent, il est en mesure de communiquer des informations sur chacune d'elles aux robots qui effectuent la soudure. De cette façon, on peut très bien faire passer simultanément par le système Robogate des voitures à deux portes et à quatre portes, conformément à un ordre préétabli. Dans une chaîne de montage traditionnelle, il fallait pour cela deux pistes séparées, et il était impossible de faire varier selon la demande la proportion de voitures à deux et à quatre portes. Avec un système du type Robogate, on pourrait aussi bien prévoir le montage de voitures encore plus diverses : si les robots disposent des programmes adéquats et qu'on leur indique à chaque fois lequel de ces programmes ils doivent appliquer, la variété des montages simultanés ne présente aucune difficulté.

Ce système résout aussi certains problèmes relatifs aux pannes et à l'entretien du matériel. Si un poste de travail se trouve momentanément en panne, l'ordinateur dirige aussitôt les voitures vers une autre plate-forme et il n'est pas nécessaire d'interrompre tout le processus. D'autre part, il est possible de reprogrammer chaque poste de travail, l'un après l'autre, pour les adapter à un nouveau modèle, sans devoir pour autant arrêter l'ensemble du système.

Les robots et l'industrie automobile

Les robots fonctionnent maintenant dans tout le secteur automobile de l'industrie : ce n'est pas seulement Fiat, mais aussi British Leyland, Ford et Renault qui y recourent.

Quand plusieurs robots se trouvent commandés par un ordinateur central, cela permet aussi un contrôle bien plus précis du stock. Pour garder en réserve le bon nombre d'éléments séparés ou de pièces détachées afin de pouvoir répondre à des exigences variées, une usine automobile dépense beaucoup d'argent et gaspille beaucoup de place et de temps. Chez British Leyland, les carrosseries déjà soudées mais pas encore peintes sont entreposées dans un magasin placé sous le contrôle d'un ordinateur. Chaque coque peut être déplacée séparément. L'ordinateur sait quels sont les divers types de carrosseries existant en stock, les commandes variées pour voitures de plusieurs couleurs différentes et les coloris des peintures dont on peut disposer. Chaque voiture reçoit une fiche portant l'indication d'une couleur ; l'ordinateur envoie un exemplaire de cette fiche aux ateliers de peinture, ce qui indique aux ouvriers de chaque atelier la teinte dont ils doivent revêtir les parties de la carrosserie de telle ou telle voiture que le robot ne peut atteindre. Une fois cette préparation faite, le robot revêtira de couleur le reste de la voiture, conformément au programme correspondant à ce type de carrosserie.

Ainsi les robots, combinés avec une programmation élaborée par ordinateur, permettent une production en série très souple mais à haut rendement. En théorie, il n'y a aucune raison pour que cela ne permette pas aussi une plus grande individualisation des voitures que l'on veut acquérir. Aussi bien que la couleur et le nombre de portes, le client pourrait spécifier divers types de garnitures et des formes particulières de la coque, afin de personnaliser sa voiture. Toutes ces variantes pourraient être réalisées avec une seule chaîne de production, sans qu'il soit nécessaire de recourir à un rééquipement coûteux pour chaque changement. Il suffirait d'informer l'ordinateur des détails de la voiture particulière que chaque client souhaite obtenir ; ces indications seraient automatiquement « enseignées » à tous les robots de l'usine, et il n'y aurait plus, ensuite, qu'à choisir les programmes adéquats pour produire « votre » automobile personnalisée.

Le manipulateur

Outre les types de robots dont nous venons de parler, les usines automobiles (et autres) disposent en général de diverses autres machines automatiques qui présentent aussi une souplesse plus ou moins grande. On peut toutefois se demander si ces machines méritent le nom de robots. En ce sens, on pourrait également dire qu'une machine à laver est un robot : elle n'en a pas l'air, mais elle est automatique, exécute un travail humain et peut être programmée de manière à accomplir des tâches diverses, puisqu'elle peut laver du linge pendant plus ou moins longtemps, à des températures variées, avec des mouvements plus ou moins rapides, elle peut l'essorer et même le sécher, toutes ces opérations se conformant à un programme préétabli. Toutefois, une machine à laver ne peut pas faire la cuisine ou le ménage les jours où il n'y a pas de lessive, et cette inaptitude explique qu'on ne la classe pas parmi les robots.

La définition devient encore plus aléatoire quand il s'agit des machines-outils à commande numérique qui, depuis quelque temps, sont utilisées dans certaines industries. Ces machines fraisent ou meulent des pièces séparées en se conformant à un programme, enregistré sur bande de papier, dont on les a pourvues. Si l'on change la bande, la machine fabrique une pièce différente. Ainsi ces machines sont programmables et elles ont la même souplesse que des robots.

Il est donc arbitraire de décider s'il faut ou ne faut pas les désigner sous le nom de robots. Mais la plupart des spécia-

Ci-contre : Dans une usine de la régie Renault, un robot soulève et entasse des vilebrequins.

Ci-dessous : Une machine-outil très élaborée commandée par bande magnétique numérique ; elle produit des circuits imprimés.

Ci-dessus : La chaîne robotisée Metro de la British Leyland. Les voitures sont acheminées sur une chaîne de montage traditionnelle et soudées par points par des robots pendant le trajet.

Ci-dessous : Il faut une programmation très précise pour assurer un système de production comme celui-ci, qui associe étroitement des robots et d'autres machines.

listes restreignent encore l'usage de ce terme : les robots, selon eux, doivent être programmables et souples, mais ils doivent aussi disposer d'un bras manipulateur, avec tous les développements que cela implique. Quoi qu'il en soit, la production en série devenant de plus en plus automatisée, nous verrons probablement bientôt dans les usines un mélange de machines, dotées de divers degrés de souplesse dans la mesure où le travail qu'elles ont à accomplir est vraisemblablement appelé à varier. Il y aura toujours certains épisodes de l'opération qui seront totalement normalisés et, pour ceux-là, des machines automatiques spécialisées suffiront. Mais partout ailleurs, on recourra à des robots, soit simples, soit complexes.

La télécommande

Dans diverses industries, on peut voir aujourd'hui travailler des machines qui, à première vue, semblent être des robots. On les observe souvent en des lieux fascinants ou dangereux, comme le fond de la mer ou les centres nucléaires. En fait, il ne s'agit nullement de robots : ces machines n'accomplissent pas leur tâche automatiquement, elles sont commandées par un opérateur et ne sont que d'utiles extensions de leurs maîtres humains.

Dans les industries dont les conditions de travail sont particulièrement dangereuses pour l'homme, on recourt ainsi à des manipulateurs télécommandés. L'industrie atomique en fournit un bon exemple, car depuis ses débuts elle a eu besoin d'opérations télécommandées. Les opérateurs sont installés en lieu sûr, dans un local que du plomb isole pour les protéger de la radioactivité des matériaux qu'ils doivent manipuler. Le manipulateur, lui, a l'une de ses extrémités dans la zone de sécurité et l'autre dans la zone dangereuse. Il est doté d'une poignée d'un côté et d'une pince de l'autre. L'opérateur manie de sa propre main la poignée, en fonction de ce qu'il veut obtenir de la pince située dans la zone « chaude ». Quand il presse la poignée, la pince se ferme : ainsi, par exemple, l'opérateur peut saisir un noyau de combustible radioactif, le dépouiller de son enveloppe et déposer noyau et enveloppe dans des aires de magasinage séparées sans que cette opération lui fasse courir aucun risque.

Les manipulateurs télécommandés les plus simples, comme celui que nous venons de décrire, sont entièrement mécaniques ; ils fonctionnent au moyen d'un système de câbles passant sur des poulies. Ils sont difficiles à utiliser et leurs mouvements sont maladroits, mais avec un peu de pratique, l'opérateur parvient néanmoins à effectuer ainsi un travail très complexe. L'avantage du manipulateur mécanique, c'est que l'opérateur *sent* ce qu'il fait, il éprouve la tension des mouvements et sait précisément à quel moment il a touché et saisi quelque chose, grâce à la résistance mécanique du système.

Les manipulateurs électriques

Avec une télécommande plus compliquée, fonctionnant par courant électrique, le problème est de permettre aussi à l'opérateur de « sentir » ce qu'il fait. Pour leurs sensations, les êtres humains dépendent dans une très large mesure de la rétroaction *(feed-back)*. Par exemple, vos yeux jouent un rôle essentiel pour vous dire où se trouve la tasse que vous voulez saisir ; mais une fois que votre main se trouve à proximité de la tasse, c'est le sens du toucher qui vous dira si vous l'avez agrippée assez fermement pour éviter d'en répandre le contenu. Selon ce principe, les meilleurs manipulateurs à télécommande électrique sont dotés aujourd'hui d'un système de rétroaction : des détecteurs placés dans les pinces du bras du manipulateur envoient des messages relatifs à la tension

Les parties d'un robot

L'Unimate 2000 est l'un des plus courants des robots chargés de travaux lourds. Sa base contient un groupe hydraulique générateur d'énergie et la console de commande munie des interrupteurs que manie l'opérateur. Le corps du robot peut être séparé du bloc de commande et suspendu au plafond pour gagner de la place, ce qu'on ne saurait faire avec un ouvrier vivant! Les programmes peuvent être enregistrés sur cassette et transmis au robot grâce à un lecteur de cassette. Les touches de l'organe d'enseignement commandent les divers degrés de liberté, enregistrent les instructions et règlent la vitesse.

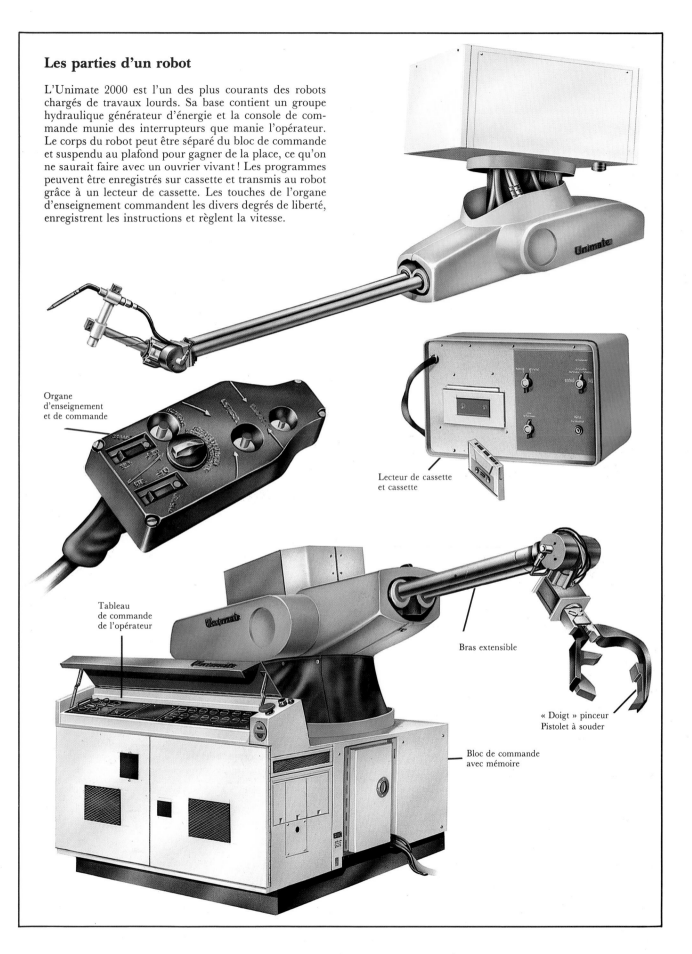

Organe
d'enseignement
et de commande

Lecteur de cassette
et cassette

Tableau
de commande
de l'opérateur

Bras extensible

« Doigt » pinceur
Pistolet à souder

Bloc de commande
avec mémoire

exercée sur cette partie du dispositif, et ces informations agissent sur la poignée motrice du manipulateur d'une manière qui imite la sensation que l'opérateur d'un système purement mécanique éprouverait. Faute d'un système de rétroaction assez élaboré, il serait en effet facile d'endommager soit l'objet à manipuler, soit le manipulateur lui-même : cela pour l'exellente raison que l'opérateur (humain ou non) ne connaît pas sa propre force.

La télécommande en mouvement

Un nouveau problème se pose quand on veut télécommander un appareil qui se déplace par rapport à l'opérateur. S'il vous est arrivé de faire fonctionner par télécommande des modèles réduits d'autos-tamponneuses, vous comprendrez mieux la difficulté. Tout va bien tant que la voiture s'éloigne de vous et que vous pouvez vous imaginer que vous êtes assis sur le siège du conducteur ; mais quand elle se dirige, au contraire, dans votre direction, il vous faut renverser la commande et faire le contraire de ce qui paraît naturel.

Le problème s'aggrave quand on ne voit pas le véhicule auquel on commande. Tel est le cas, par exemple, de l'opérateur qui dirige un engin d'exploration et d'entretien des fonds sous-marins ou un véhicule de dépannage envoyé dans un milieu radioactif après un accident (« incident », comme disent les responsables de l'industrie nucléaire). Il semblerait que la solution réside dans le recours à une caméra de télévision qui équipe le véhicule en question, et c'est en effet ainsi que l'on procède. Mais il est particulièrement difficile, même avec plusieurs caméras à bord, de transmettre à l'opérateur l'impression authentique du lieu où se trouve le véhicule, car nombre d'indices de perspective et de profondeur font toujours défaut. Si l'opérateur ı.'a pas enregistré mentalement une sorte de « carte » de la zone explorée, il lui arrivera très facilement de perdre complètement le sens de la direction.

Et lorsqu'on a affaire à des mécanismes télécommandés beaucoup plus complexes encore, une difficulté supplémentaire surgit à propos de la meilleure manière de concevoir le tableau de bord de la commande à distance. Faut-il prévoir un bouton séparé pour chaque fonction ou faut-il combiner diverses fonctions régies par un seul bouton qui se manie différemment (on le pousse, on le tourne, on le lève, etc.) selon les cas ? Ce problème rappelle beaucoup celui des concepteurs de voitures, qui semblent incapables de décider s'il faut confier la commande des clignotants, des phares et de l'essuie-glace à un seul levier ou à plusieurs. La question, qui peut sembler banale, met en jeu des facteurs mal connus quant à la manière dont l'esprit humain s'acquitte des tâches qui lui sont confiées.

La télécommande dans l'espace

Dans l'espace, les problèmes de télécommande sont encore multipliés. Certes, la télécommande est à beaucoup d'égards la solution idéale de l'exploration spatiale, car une bonne partie de la charge utile des astronefs habités consiste en éléments nécessaires à la survie des astronautes. Tandis qu'un vaisseau spatial télécommandé peut être actionné par l'énergie solaire et ne requiert pas de combustible ; il ne pose aucun des problèmes qu'impliquent la conception de logements et de vêtements étanches et l'approvisionnement alimentaire d'un véhicule habité. Un vaisseau télécommandé peut aussi poursuivre ses explorations pendant beaucoup plus longtemps que des astronautes humains. Il est inutile de le récupérer quand la mission est terminée ; et si par malheur un désastre se produit, cela représente une perte d'argent colossale mais aucune vie humaine n'a été mise en jeu.

Le problème le plus grave que pose la télécommande dans l'espace, c'est le temps nécessaire pour envoyer et recevoir des messages à de telles distances. De la Lune, où le premier *Lunokhod* soviétique a aluni en 1970, un message prend 1,3 seconde pour atteindre la Terre ; cela peut paraître bref, mais si l'on y ajoute le temps de réflexion nécessaire aux opérateurs terrestres et le second laps de 1,3 seconde requis pour que la réponse atteigne la Lune, il est évident que le véhicule aura accompli une certaine distance entre le moment où il a demandé des instructions et celui où il en a reçu. S'il se trouve qu'à ce moment il était en porte à faux sur le bord d'une falaise, le message qu'on a reçu de lui risque bien d'être le dernier. Les Soviétiques avaient partiellement résolu ce problème en plaçant sur les roues de *Lunokhod* des détecteurs chargés de mesurer l'angle de la pente sur laquelle le véhicule

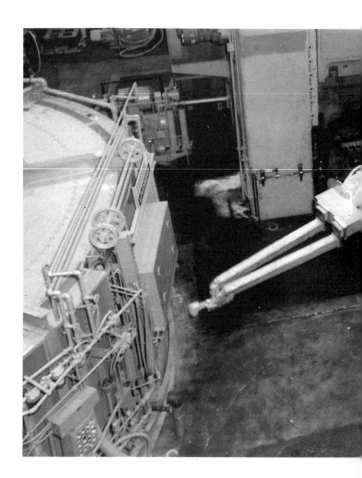

Ci-contre : Un manipulateur du type « Man-Mate », commandé par un opérateur installé dans la cabine. En agissant sur les manettes, l'homme peut sentir la force qu'il exerce sur le manipulateur.

Ci-dessus : L'engin Wheelbarrow (« Brouette ») de l'armée britannique, agissant par télécommande, inspecte une voiture suspecte.

A droite : Le laboratoire de propulsion par réaction de la NASA *(Jet Propulsion Laboratory)* a mis au point un uniforme d'astronaute en dur qui n'a jamais été utilisé dans l'espace, mais qui donne l'image parfaite d'un manipulateur humanoïde, car ses articulations cylindriques de dimensions variées peuvent pivoter de façon à fournir plusieurs degrés de liberté.

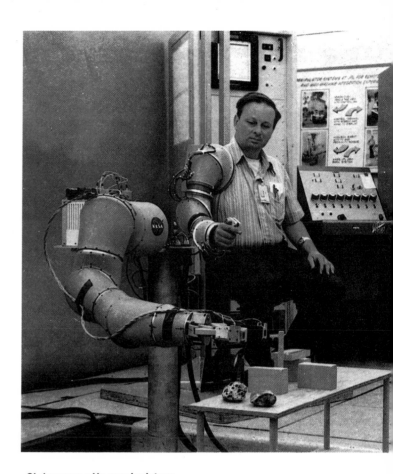

Ci-dessous : Un manipulateur du type « maître-esclave » en fonction dans un local « chaud » pour manier des matériaux radioactifs.

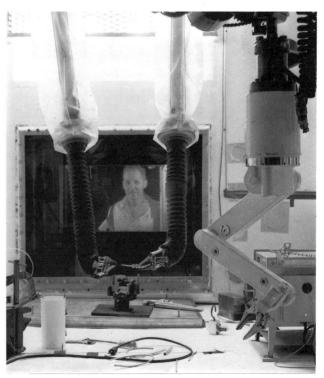

était engagé. Si celle-ci était trop abrupte, les détecteurs passaient outre aux instructions reçues et déclenchaient des freins automatiques pour arrêter le véhicule.

Mais pour explorer Mars de la même manière, ce sera bien autre chose, car les messages de cette planète prennent vingt minutes pour arriver à la Terre. Ainsi tout véhicule qui atterrira sur Mars devra être équipé de détecteurs ainsi que d'ordinateurs placés à bord, afin de pouvoir prendre ses propres décisions, du moins en ce qui concerne la stratégie à court terme requise pour aller d'un point à un autre de la planète.

La télécommande et le déminage

La télécommande s'est aussi révélée d'une utilité incomparable dans une autre situation dangereuse : le désamorçage des bombes. L'armée britannique dispose d'un véhicule télécommandé qui ressemble à un petit tank. Il est pourvu d'une caméra au bout d'un bras extensible qui fournit aux démineurs une image des objets suspects tout en leur assurant une pleine sécurité. Ce véhicule peut aussi manipuler l'objet en question, toujours par télécommande, et aider à le désamorcer. S'il s'agit non plus d'objets suspects mais de voitures probablement minées, le véhicule peut être équipé d'une espèce de marteau qui lui permet de casser les vitres : le bras pourvu d'une caméra peut alors explorer l'intérieur de la voiture pour « voir » s'il s'y trouve des explosifs.

C'est cette faculté qu'a la télécommande de réduire le caractère dangereux de certaines situations qui la rend si intéressante. On discute sérieusement, en ce moment, de la création de mécanismes télécommandés pour l'extraction des minerais, ce qui éviterait les risques courus par les êtres humains qui travaillent dans le sous-sol. Les mineurs seraient installés dans des locaux bien chauffés, bien éclairés, aseptisés et confortables, situés au-dessus du sol, et ils commanderaient à des machines situées à des mètres au-dessous d'eux, capables de travailler dans les gisements les plus étroits et les mines les plus dangereuses.

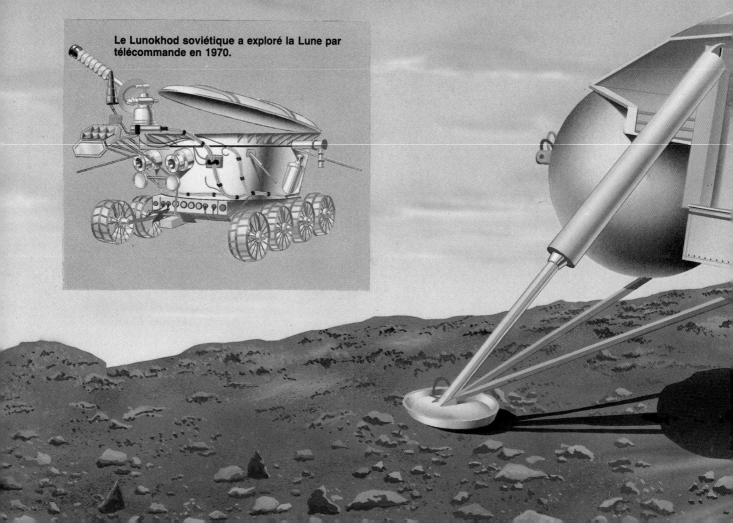

Le Lunokhod soviétique a exploré la Lune par télécommande en 1970.

Un des deux modules Viking qui ont atterri sur Mars en 1976 pour y faire des expériences. Le bras manipulateur de l'engin déblayait les rochers sur la surface de la planète et ramassait des échantillons du sol situé en dessous, puis il les transmettait à l'appareil, pour être analysés par des organes de traitement biologique. Le vaisseau spatial était piloté par deux ordinateurs capables de mener à bien une série complexe de tâches.

Échantillonneur
(bras manipulateur)

Caméra

Caméra

Détecteur
météorologique

Organe
de traitement
biologique

Télécommande contre robots

Si les chercheurs s'attachent plutôt à la mise au point et au perfectionnement des machines télécommandées qu'à ceux des robots, c'est que les tâches auxquelles sont utilisées ces machines sont pour l'instant trop difficiles pour les robots. Le principe même des vaisseaux spatiaux, des appareils de déminage ou des explorateurs des fonds sous-marins, c'est qu'ils doivent affronter l'inconnu et l'imprévisible. Pour l'instant et dans un proche avenir encore, on ne saurait construire des robots capables de traiter des événements imprévisibles. On peut déjà disposer d'un robot qui exécute une partie du travail de routine dans une usine nucléaire, mais dès que quelque chose cloche, le cerveau humain est indispensable pour résoudre les problèmes. La télécommande donne aux hommes la possibilité d'utiliser leur cerveau sans risque pour leur corps.

Certains pensent également qu'il faut consacrer tous les efforts de la recherche à perfectionner les machines télécommandées plutôt que les robots, car leur impression est que les premières aideront à résoudre les futurs problèmes de l'emploi alors que les seconds risquent d'aggraver le chômage. Quoi qu'il en soit, le cerveau humain est un instrument unique, alors que la force physique de l'homme ne l'est pas, et c'est ce second élément seulement que pourront relayer les robots. Si les êtres humains étaient exclus de l'industrie et ne pouvaient plus utiliser leurs talents, leurs existences seraient cruellement gâchées ; mais tel ne sera pas le cas si le cerveau humain trouve à s'employer dans l'industrie... avec les muscles d'une machine.

La bionique

Les chercheurs se consacrent aussi à la mise au point de « muscles mécaniques » pour venir en aide à ceux dont les membres sont défaillants ou absents. On est en train de réaliser des bras artificiels qui utilisent des signaux électriques, émis par les muscles survivants encore en place dans les épaules, pour diriger leurs mouvements. La recherche médicale et la robotique se partagent ainsi leurs découvertes, car l'une et l'autre ont intérêt à résoudre les mêmes problèmes : commande, légèreté de l'appareillage, difficulté qu'implique le fait de donner une « sensibilité » à un bras mécanique. Néanmoins, pour l'instant, on est aussi loin de voir aller et venir des hommes et des femmes « bioniques » que d'entendre parler et marcher des robots de science-fiction.

Membres artificiels

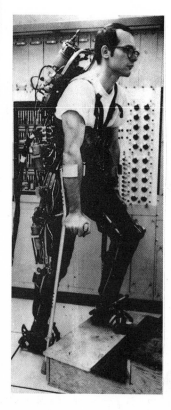

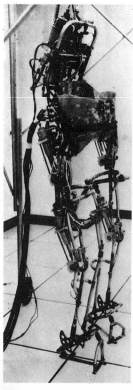

Les idées qui ont été conçues pour le perfectionnement des robots peuvent souvent servir à résoudre les problèmes posés par l'élaboration des membres artificiels pour les êtres humains. L'inverse est vrai également : la recherche orthopédique peut servir à concevoir des robots. On dispose actuellement de bras et de mains actionnés par des signaux électriques émis par des muscles encore vivants dans les épaules ; des hommes de science étudient la possibilité de donner aux mains artificielles le sens du toucher. Comme pour les robots, l'une des principales difficultés réside dans la conception de systèmes de commande. Mais pour l'instant, la fabrication d'individus entièrement « bioniques » (adjectif formé par la contraction de BIOlogique-électroNIQUE) est, hélas ! aussi éloignée que celle de robots capables de marcher et de parler.

Ci-contre : Armature de marche, actionnée par un moteur, conçue par le département de génie mécanique de l'université de Wisconsin (États-Unis), à l'usage des paraplégiques.

Page en regard : Bras artificiel, actionné par moteur hydraulique, conçu par le département de génie mécanique de l'université collège de Londres, à l'usage des victimes de la thalidomide.

Hand

Ci-dessus : Le robot Roman, mis au point pour l'industrie nucléaire.

Ci-contre : Le bras du manipulateur-plongeur de la General Electrics a une portée de plus de deux mètres ; l'opérateur est assis dans la cloche.

Ci-dessous : Le bras du plongeur télécommandé d'Elf-Aquitaine. A noter la lumière et la caméra vidéo pointées sur la « main ».

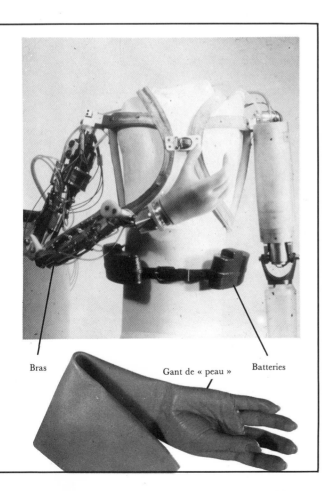

Bras

Gant de « peau »

Batteries

4. Les robots qui pensent

Il existe une raison très simple pour laquelle les robots actuels ne ressemblent en rien aux robots que nous a fait espérer la science-fiction : les robots actuels sont « stupides ». C'est aussi pour cela qu'il nous faut recourir aux machines télécommandées dans l'industrie nucléaire et dans les fonds sous-marins : la génération contemporaine de robots n'est pas assez intelligente pour accomplir d'elle-même ce type d'activité.

La génération actuelle de robots convient parfaitement pour faire exactement ce qu'on lui a dit de faire. Un robot continuera à exécuter le même travail, invariablement de la même manière. Il est donc beaucoup plus constant et plus fiable qu'un opérateur humain, puisque ses normes ne changent jamais. Mais si quelque chose vient à clocher, contrairement à l'ouvrier, le robot sera incapable d'identifier le problème et de trouver un moyen d'y remédier.

Imaginons un robot programmé pour prendre des coffrets de machine à écrire sur une pile et les placer sur une courroie transporteuse. S'il y a un hiatus dans la production des coffrets, la courroie placée devant le robot va se trouver vide. Et le robot ne dispose d'aucun moyen d'avertir de ce qui se passe les ouvriers situés en aval : il va continuer à prendre sur la pile et à déposer sur la courroie, aussi soigneusement que d'habitude,... rien du tout. Il peut en aller de même d'un robot qui peint des voitures : s'il n'y a plus de voiture, il continuera à peindre... l'air.

Il existe plusieurs méthodes assez simples pour améliorer les capacités d'un robot. Disons que sa tâche soit de peindre des fours qui passent devant lui sur une courroie de transport : on peut installer en amont du robot une cellule photo-électrique et un faisceau lumineux. Chaque four qui passe sur la courroie interrompra le faisceau lumineux et la cellule photo-électrique enverra alors au robot un signal qui lui indiquera qu'un four est en route. Si, pour une raison ou une autre, il n'y a pas de four sur la courroie mais un espace vide à sa place, le faisceau lumineux ne sera pas interrompu, le robot ne recevra aucun signal... et il attendra.

Dans certains cas, si le robot continuait à effectuer sa tâche au mauvais moment, cela ne serait pas seulement fâcheux, mais catastrophique. En pareil cas, il est souvent nécessaire d'organiser une série compliquée de signaux, pour permettre à un groupe de machines de travailler sans danger en synchronisme. Par exemple, quand un robot doit saisir une pièce moulée dans une presse, il ne suffit pas, normalement, de programmer le robot de telle façon qu'il se tourne vers la presse à un moment fixé. Car si la presse s'ouvre avec retard, le robot n'en sera pas informé et ira s'écraser contre la presse fermée. Aussi apprend-on à ces robots à attendre un signal en provenance de la presse, leur indiquant que celle-ci est ouverte, avant de se déplacer pour y prendre l'objet.

De même, le robot de la génération actuelle peut être extrêmement dangereux pour les ouvriers qui se tiennent près de lui. Comme il ne peut évidemment voir quelqu'un passer près de lui au mauvais moment, le robot peut aisément renverser ou même tuer un homme qui se trouve sur son passage. C'est pourquoi la plupart des robots sont entourés de clôtures de sécurité : si la fermeture de celles-ci est ouverte, le robot ne peut fonctionner.

S'il faut ainsi enfermer les robots et leur mâcher la besogne, c'est qu'ils sont stupides. Ils ne voient rien, ne sentent rien, n'entendent rien et ils ne peuvent même pas bouger de l'endroit où on les a fixés. A condition que le travail qu'on leur prescrit soit totalement prévisible, ils ne rencontrent cependant pas de difficultés ; mais dès qu'il y a la moindre

Ci-contre : Puma est un robot de la nouvelle génération. De dimension humaine et de poids léger, il peut effectuer des opérations de montage et mettre en place des objets avec une précision de 0,1 mm (un peu plus que l'épaisseur d'un cheveu humain).

Page en regard : Le robot Auto Place est relié à un système de vision qui, par l'intermédiaire d'un ordinateur, lui indique s'il doit accepter ou écarter certaines pièces.

possibilité de variation dans le travail, de graves problèmes se posent à eux.

Un homme qui soude des voitures par points dans une chaîne de production peut faire face à des événements relativement imprévisibles. Il sait qu'il doit souder sur chaque coque de voiture le même point précis, mais il n'est pas obligé de se tenir chaque fois exactement à la même place. Il peut travailler un peu plus vite que ne fonctionne la chaîne, ce qui lui permettra de prendre un instant de repos, puis se dépêcher pour reprendre le rythme. Il peut agir ainsi parce qu'il sait ce qu'il fait et peut voir l'endroit qu'il est censé souder. Le robot, lui, effectuera sa soudure en restant toujours à la même place. Si la voiture se trouve légèrement décalée par rapport au robot, tant pis : la soudure se fera au mauvais endroit, ou pas du tout.

Étant donné que les robots ont besoin d'une précision absolue dans le positionnement des objets qu'ils traitent, on investit beaucoup d'argent, quand on introduit la robotique dans une usine, pour la construction de gabarits spéciaux qui tiennent fermement les pièces à la bonne place. Quand ce même travail était exécuté par des êtres humains, cela n'était pas nécessaire. De plus, même si les robots sont eux-mêmes très souples et peuvent être reprogrammés pour effectuer de nouvelles tâches, chaque fois qu'on leur assigne un nouveau travail il faut construire de nouveaux gabarits, ce qui diminue beaucoup la souplesse du système dans son ensemble et en accroît considérablement le coût.

Des robots intelligents

La solution réside dans la mise au point de robots plus intelligents. L'un des moyens d'y parvenir, c'est de perfectionner le système de signalisation déjà décrit. La firme américaine Milacron, de Cincinnati, a réalisé un système qui permet aux robots de souder par points des coques de voitures sur une chaîne de montage qui change de vitesse selon les nécessités de la production. La plupart des robots ne peuvent travailler que sur des voitures stationnaires ou se déplaçant à vitesse constante. Avec le système Milacron, des détecteurs sont fixés à la chaîne de production et ils ne cessent d'envoyer des messages aux robots, qui adaptent leur programme en conséquence. Que la chaîne progresse vite ou lentement, le robot peut toujours effectuer son travail, car il réajuste continuellement sa position de départ et d'arrêt.

Les robots et la vue

Tout le monde s'accorde pour reconnaître que le sens le plus utile dont pourrait être doté un robot, c'est la vue. Au premier abord, cela semblerait assez facile : il suffirait de pourvoir le robot d'une caméra vidéo. Mais le problème est ailleurs : qu'est censé faire le robot au moyen des signaux qu'il recevra de la sorte ? Nous considérons nous-mêmes la façon dont nous voyons les choses comme allant de soi, de sorte que nous ne nous rendons même pas compte du degré d'intelligence que notre vision suppose et combien il est difficile d'amener une machine à nous imiter sur ce point.

Lorsque vous considérez une scène de rue complexe, vous ne pouvez lui donner un sens que parce que vous vous êtes constitué, au cours de votre vie, un vaste fonds d'expériences relatives à la manière dont se présentent les choses et à leur aspect quand on les envisage sous différents angles. Quand

Vision et reconnaissance

Les objets familiers que représentent les photos ci-dessous et ci-contre vous paraissent peut-être étranges. Ce que nous voyons dépend en général de l'information que nous avons emmagasinée à propos des objets : couleur, forme et dimensions qu'ils peuvent avoir et lieu où ils se trouvent normalement. Un robot doté d'un système de vision fonctionne différemment ; il ne peut reconnaître un objet que s'il dispose dans sa mémoire de l'image de cet objet sous un angle particulier et ne peut donc identifier un objet au hasard que s'il a en mémoire des images de cet objet prises sous tous les angles possibles et imaginables.

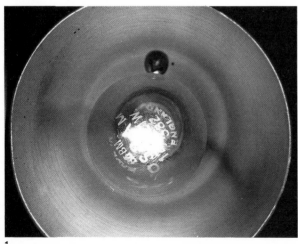

1

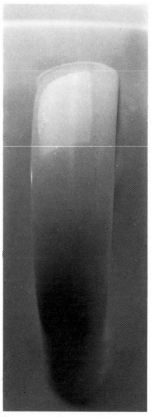

2

3

Les robots de la seconde génération

Les robots de la seconde génération devraient être dotés de certaines des aptitudes suivantes sinon de toutes :

1. Ils devraient être capables de voir ou au moins de distinguer des silhouettes en noir et blanc. Ils devraient être capables d'enregistrer des formes limitées et de les reconnaître.

2. Ils devraient être capables de sentir, soit au moyen de détecteurs de proximité soit au moyen d'extensomètres.

3. Ils devraient être capables de communiquer avec les êtres humains au moyen d'un langage. Il n'est pas nécessaire qu'ils soient dotés de voix, mais ils devraient disposer de langages et de programmes améliorés, de façon qu'on puisse converser avec eux par l'intermédiaire d'un clavier.

4. Ils devraient pouvoir se déplacer. Un des objectifs est de mettre au point certains robots capables de « marcher », pour travailler dans des locaux qui n'ont besoin d'être entretenus que de temps à autre.

5. Ils devraient être capables de diagnostiquer leurs propres défaillances et d'orienter les réparateurs (humains) vers les parties qui ont besoin d'être remplacées ou remises en état.

Ci-contre : Le système de vision du robot Auto Place transmet cette image de pièces passant sur une courroie de transport à l'ordinateur du robot, qui analyse l'image et indique au robot ce qu'il doit faire.

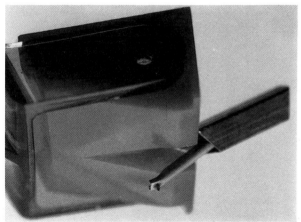

4

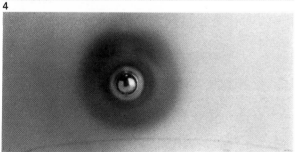

5

Réponses : 1. Lampe vue par en dessous ; 2. Tasse de profil ; 3. Brosse à dents ; 4. Cellule et aiguille de tourne-disque ; 5. Pointe de stylo à bille.

vous essayez de traverser une rue encombrée et que, debout sur le trottoir, vous cherchez du regard un passage sans danger dans la circulation qui se déroule sous vos yeux, il y a quantité d'objets que vous pouvez d'entrée de jeu vous permettre d'ignorer. Ainsi, vous savez fort bien de quoi ont l'air des immeubles, de sorte que vous connaissez sans les regarder la nature des édifices situés de l'autre côté de la rue.

Ce qui est encore plus important, c'est que vous savez que les immeubles ne bougent pas : donc, pour traverser la rue, vous pouvez les ignorer sans aucun risque. Vous reconnaissez également les piétons et vous savez qu'ils ne vont pas se précipiter sur vous et vous renverser. De ce fait, les seuls objets dont vous ayez à vous préoccuper, ce sont les véhicules en mouvement. Et vous êtes en mesure de faire la différence entre un panneau peint en vert et un autobus, même si vous ne voyez de ce dernier qu'une toute petite partie derrière un rideau d'arbres. De plus, comme vous connaissez les règles de la circulation, vous savez dans quelle direction roulent les voitures des deux côtés de la rue et, en gros, à quelle vitesse elles circulent. Grâce à toutes ces informations, avec un peu de chance, vous serez à même de traverser la rue sans vous faire écraser.

Mais si la même scène était enregistrée par une caméra et transmise à un robot, il serait tout à fait incapable d'en faire autant. Pour lui, la rue ne serait qu'un méli-mélo d'éléments brillamment colorés qui se croisent et deviennent tantôt plus grands tantôt plus petits. Représentez-vous un bébé s'amusant avec des jouets. Parmi ceux-ci se trouve un gros autobus rouge, placé derrière une pile de cubes : le bébé ne peut voir que quelques parties du bus qui dépassent derrière les cubes, mais il n'aperçoit pas le bus entier. Néanmoins, il a déjà appris que le bus tout entier se trouve là et qu'il ne s'est pas, subitement, divisé en deux parties. Or cela, un robot est absolument incapable de le comprendre : c'est encore trop difficile pour lui.

Aussi tout le travail qui a été entrepris jusqu'à présent pour doter les robots d'une « vue » a-t-il des objectifs bien plus modestes que l'appréhension d'une scène de la rue. Il n'en reste pas moins qu'on a déjà accompli de grands progrès dans ce sens et que, partout dans le monde, les usines disposeront bientôt de robots pourvus d'un système visuel.

Les robots dotés de vision

Il s'agit d'une vision encore très limitée. Beaucoup des systèmes en question ne comportent qu'une faculté de vue à deux dimensions et bicolore. Une caméra enregistre une image en noir et blanc de l'objet concerné, et cette image est interprétée par l'ordinateur du robot dans un langage que celui-ci puisse comprendre. Disons que le robot « regarde » un couvercle qu'il doit prendre sur une courroie de transport (voir p. 49). Au fur et à mesure que la caméra explore la courroie, l'ordinateur en analyse chaque cadrage : lumière = pas de couvercle, lumière = pas de couvercle, lumière = pas de couvercle, ombre = couvercle, ombre = couvercle, et ainsi de suite : l'image de télévision est ainsi convertie en signaux binaires que le robot peut comprendre. Supposons que le robot ait appris à reconnaître le couvercle : cela signifie qu'on lui a enseigné combien de zones de lumière et d'ombre il doit « voir » pour que l'objet qu'il a en face de lui soit un couvercle. On peut aussi lui avoir enseigné certaines autres caractéristiques du couvercle ; par exemple, si le couvercle comporte des trous, ceux-ci apparaîtront sur l'image comme des taches noires, et l'ordinateur du robot pourra recourir à cette information pour savoir dans quel sens se présente le couvercle, ce qui indiquera au robot de quelle manière il doit le saisir. Dans d'autres systèmes, on apprend au robot à reconnaître des bords ou des limites caractéristiques de l'objet à attraper.

Un système de ce genre paraît certes primitif et malhabile par comparaison avec la vue humaine, mais c'est tout ce dont la plupart des robots industriels ont besoin ; car s'ils n'ont pas d'autre perspective que d'avoir affaire à des couvercles de

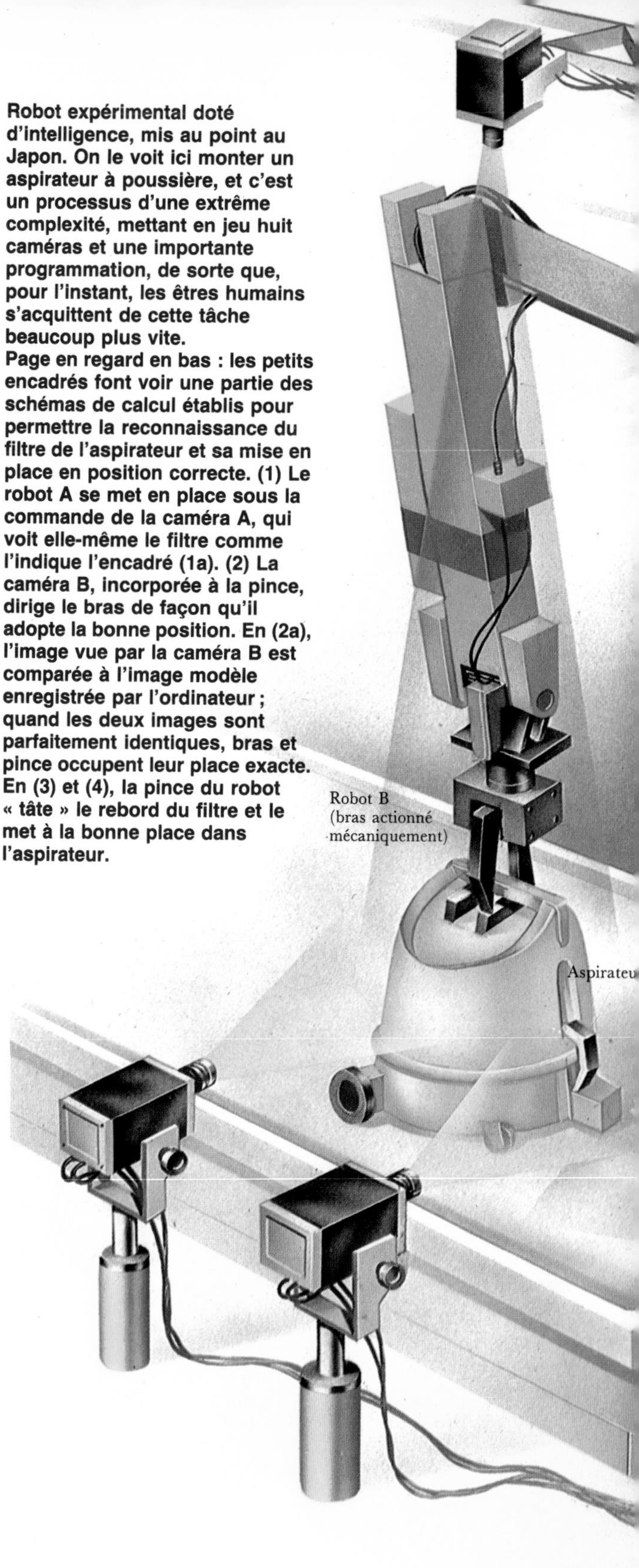

Robot expérimental doté d'intelligence, mis au point au Japon. On le voit ici monter un aspirateur à poussière, et c'est un processus d'une extrême complexité, mettant en jeu huit caméras et une importante programmation, de sorte que, pour l'instant, les êtres humains s'acquittent de cette tâche beaucoup plus vite.
Page en regard en bas : les petits encadrés font voir une partie des schémas de calcul établis pour permettre la reconnaissance du filtre de l'aspirateur et sa mise en place en position correcte. (1) Le robot A se met en place sous la commande de la caméra A, qui voit elle-même le filtre comme l'indique l'encadré (1a). (2) La caméra B, incorporée à la pince, dirige le bras de façon qu'il adopte la bonne position. En (2a), l'image vue par la caméra B est comparée à l'image modèle enregistrée par l'ordinateur ; quand les deux images sont parfaitement identiques, bras et pince occupent leur place exacte. En (3) et (4), la pince du robot « tâte » le rebord du filtre et le met à la bonne place dans l'aspirateur.

Robot B
(bras actionné mécaniquement)

Aspirateur

Ci-contre à gauche : Le robot dit « Mr. Aros », fabriqué par Hitachi au Japon, peut pratiquer la soudure à l'arc en continu, grâce à un détecteur placé en face de l'arc qui rectifie sa position, quelle que soit la distorsion apportée par la chaleur à la pièce à souder.

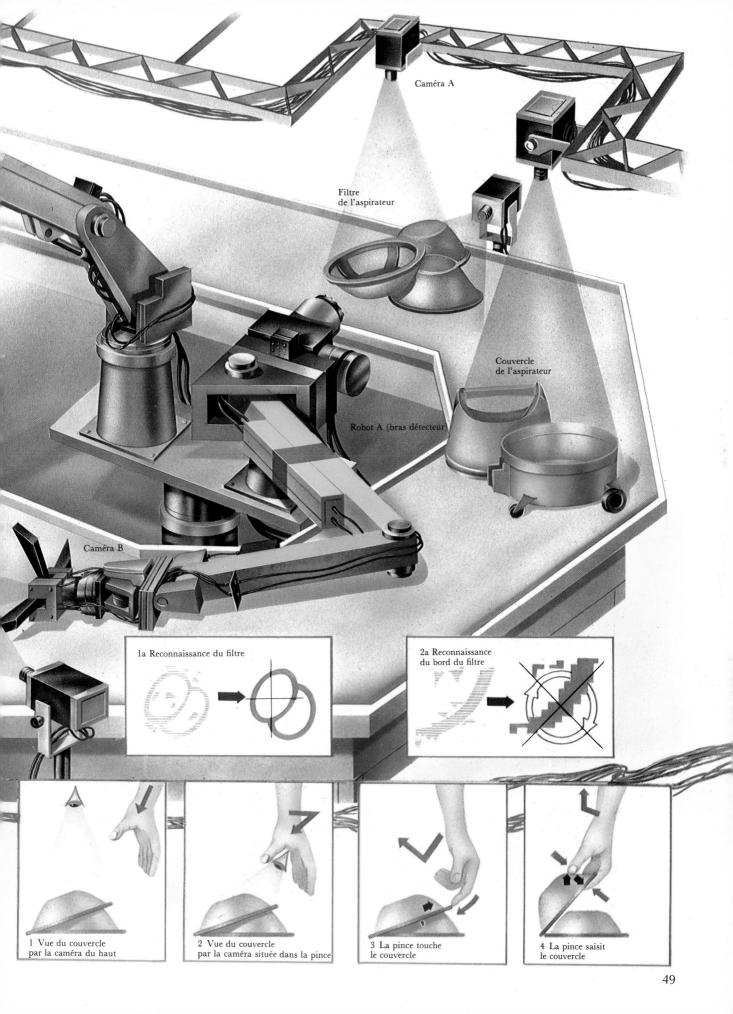

Caméra A

Filtre
de l'aspirateur

Couvercle
de l'aspirateur

Robot A (bras détecteur)

Caméra B

1a Reconnaissance du filtre

2a Reconnaissance
du bord du filtre

1 Vue du couvercle
par la caméra du haut

2 Vue du couvercle
par la caméra située dans la pince

3 La pince touche
le couvercle

4 La pince saisit
le couvercle

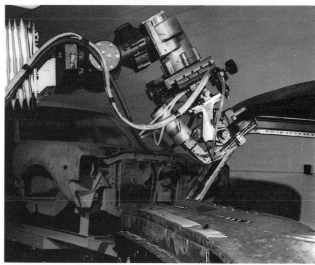

Ci-contre : Le robot-monteur expérimental d'I.B.M. peut construire des machines à écrire, des grille-pain et des mixers ; il est équipé de plusieurs extensomètres pour effectuer des opérations délicates.

Ci-dessus : Soudeur Unimate équipé d'un système de détection des bords qui garantit que la soudure est toujours faite au même endroit.

diverses espèces, nul besoin n'est de les équiper de dispositifs qui leur permettent de comprendre des images compliquées.

Ces systèmes relativement simples sont aussi très utiles pour le contrôle des défauts de fabrication. On enseigne à l'ordinateur du robot à reconnaître une pièce correctement finie, il sait à quel endroit il doit y avoir des trous, à quoi doivent ressembler les rebords, et ainsi de suite. Dès lors, le robot rejettera tout objet qu'on lui fera inspecter et qui ne correspondra pas exactement à l'image modèle qu'il a enregistrée.

Il est beaucoup plus aisé d'introduire dans une usine déjà existante un robot doté d'un système visuel de ce genre qu'un robot aveugle, car les objets que le robot doit traiter n'ont pas besoin, en ce cas, d'être alignés avec une précision absolue et on peut économiser beaucoup d'argent du fait qu'il n'y a pas à construire des gabarits spéciaux pour maintenir en place les pièces soumises à l'action du robot. Mais il n'en reste pas moins que la plupart des robots, même « voyants », ne peuvent traiter les objets que un à un. Il est beaucoup plus difficile de doter un robot d'un œil capable de sélectionner une pièce séparée dans un récipient rempli d'objets mélangés.

Les robots et le toucher

Pour certains problèmes que les robots ont à résoudre de nos jours, le sens du toucher est plus nécessaire que la vision. On a vu que, dans l'industrie, le robot qui soude par points est beaucoup plus courant que le robot qui soude à l'arc. Il y a à cela une raison entre autres : la chaleur engendrée par la soudure à l'arc tend à déformer légèrement les objets soudés. Aussi est-il extrêmement important, en soudure continue, que la pointe du chalumeau soit maintenue exactement à la bonne distance de la jointure à souder. Un soudeur qualifié rectifie automatiquement la position de son chalumeau : la meilleure manière de permettre au robot soudeur de faire de même, c'est de l'équiper d'un dispositif sensible à la proximité d'un objet. Il peut s'agir simplement d'un appendice qui émerge

exactement de la longueur nécessaire et ne fait qu'effleurer la surface à souder.

Certains robots sont équipés d'un disjoncteur qui les informe du fait qu'ils sont entrés en contact avec un objet. D'autres sont dotés d'un extensomètre, ou jauge de contrainte, qui peut mesurer, par exemple, la pression excessive que la pince du robot exerce sur l'objet qu'il saisit et peut atténuer cet excès de pression. Si l'on positionne l'extensomètre aux emplacements adéquats du bras du robot, l'appareil peut dire au robot s'il a placé correctement tel ou tel objet. Supposons que le robot doive placer une barre dans une rainure : si l'un des extensomètres fournit une mesure très élevée et un autre une mesure nulle, cela indiquera que le robot n'a pas réussi à introduire la barre dans la rainure et doit recommencer. En revanche, si les deux extensomètres fournissent la même mesure, le robot saura qu'il a réussi dans sa tâche.

L'ouïe et la parole

En science-fiction, tous les robots parlent et comprennent ce qu'on leur dit, mais il n'en va pas de même dans le monde réel. Certes, on peut aisément fabriquer des robots destinés à répéter des messages préenregistrés : depuis des années, on trouve partout dans le monde industrialisé des balances pèse-personnes qui indiquent à haute voix le poids du sujet. Il est aussi possible de faire des machines produisant les divers sons qui composent le discours humain ; certains jouets (coûteux) en sont d'ores et déjà capables.

Il est en revanche beaucoup plus difficile de créer une machine qui comprenne ce qu'on lui dit. Cette opération implique le même genre de problème que celle qui consiste à faire analyser par un robot l'image compliquée que présente une rue encombrée (voir plus haut) : dans les deux cas, il s'agit de *reconnaître un modèle*, c'est-à-dire, au milieu d'un méli-mélo d'informations complexes, de sélectionner un schéma qui s'y trouve caché. Nous décrirons au chapitre suivant certaines des recherches qui ont été menées dans ce domaine.

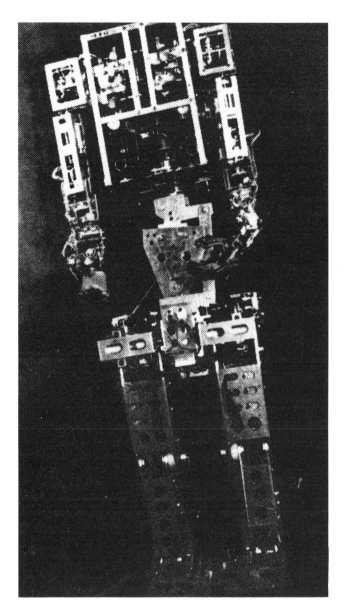

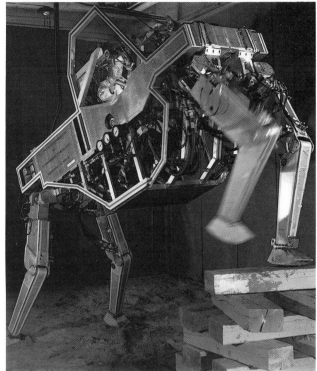

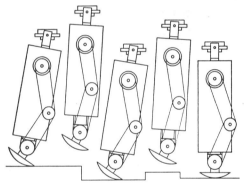

Wabot, le robot à deux jambes (photo de gauche), ainsi que le robot unijambiste représenté par le schéma ci-contre, sont tous deux japonais ; ils ont été conçus pour étudier les problèmes de mobilité et d'équilibre, mais ce ne sont pas des robots à usage pratique.
Ci-dessus : Fardier télécommandé ; ce n'est pas un robot, mais il permet d'étudier les mêmes problèmes.

On a toutefois réussi à effectuer des progrès surprenants dans le cas précis de la reconnaissance d'un modèle parlé par un robot, surtout quand le vocabulaire en cause est limité. Il existe déjà des machines capables de comprendre les chiffres prononcés et quelques ordres élémentaires. Il se peut que les bureaux commerciaux disposent bientôt de machines capables de taper à la machine une lettre simple qui a été dictée et dont la bande-son leur a été transmise. Évidemment, ces machines ne fonctionneront bien que si la lettre comporte un vocabulaire normalisé et très limité. Il faudra beaucoup plus de temps pour fabriquer des machines capables de « comprendre » et de transcrire de la poésie...

Les robots et le mouvement

Dans la plupart des emplois en usine, il n'est pas nécessaire que le robot se déplace : il est plus facile de lui apporter le travail à effectuer. Mais si l'on escompte que les robots deviennent à l'avenir plus souples, il serait utile qu'ils puissent se déplacer. Il serait évidemment beaucoup plus pratique qu'un robot puisse réagir aux ordres donnés à haute voix et aller et venir dans un milieu aux limites données (entrepôt par exemple).

La faculté de se mouvoir est, en soi, celle qu'il est le plus facile de donner à un robot ; mais, hélas ! nous ne verrons probablement jamais un robot sur deux jambes (sauf, peut-être, pour des fins publicitaires). Les hommes, eux, n'ont pas le choix : ils marchent sur deux jambes, leurs membres inférieurs, car ils ont besoin de disposer librement de leurs deux membres supérieurs pour prendre des objets et utiliser des outils. Mais en fait, la marche sur deux jambes est un processus très inefficace : elle rend l'équilibre délicat et précaire, elle implique des risques constants de chutes et elle est beaucoup plus lente que la progression des animaux à quatre pattes.

Les concepteurs de robots les doteront probablement de roues s'ils doivent se déplacer sur un terrain raisonnablement lisse ; on les pourvoira de chenilles pour avancer sur un sol plus rude. On discute néanmoins de savoir si, en terrain très inégal, les jambes ne redeviennent pas utiles : en ce cas, certains robots auraient des jambes, mais au moins quatre, voire six ou huit.

Ci-dessus : Des robots de la firme Texas Instruments, associés à des caméras, inspectent des circuits de calculateur.

Ci-dessous : La tabulatrice de Hollerith s'adapte très bien à des travaux de montage monotones.

En conclusion

Tous ces progrès aideront à rendre les robots plus intelligents. Mais dans un proche avenir, il est vraisemblable que les robots resteront dans les usines et ne se promèneront pas dans les rues. Le monde extérieur est trop complexe pour que le cerveau d'un robot contemporain puisse le comprendre. Et même un robot domestique semble, pour l'instant et avant un certain temps, une utopie dont il ne saurait être question.

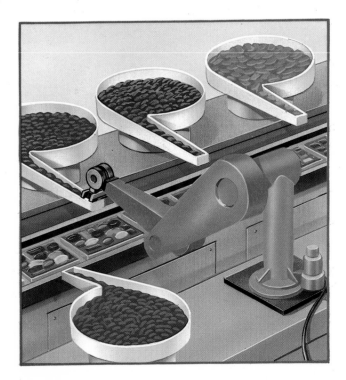

Les robots à la maison

A différentes reprises on a prétendu que des robots domestiques seraient bientôt en vente dans les grandes surfaces à côté des machines à laver et des lave-vaisselle. Les journaux ont même publié des photographies de bonnes à tout faire en métal et de cuisiniers en fer-blanc, dont on vantait les aptitudes. Mais la réalité est bien différente.

Nous avons vu que les robots souffrent de limites étroites. Il serait peut-être possible de surmonter certaines difficultés mécaniques et de rendre les robots capables de marcher, de parler, d'entendre, et de les doter du sens du toucher. Mais fournir au robot assez d'informations pour qu'il puisse fonctionner dans un milieu aussi changeant qu'une maison habitée, c'est là un tout autre problème. Un robot « femme de ménage » serait inutile, par exemple, s'il n'était pas capable de faire la différence entre l'emballage d'un bonbon et un billet de banque. Autrement dit, si nous désirons avoir des robots chez nous, il nous faudra concevoir nos maisons pour les robots et les tenir dans un ordre parfait !

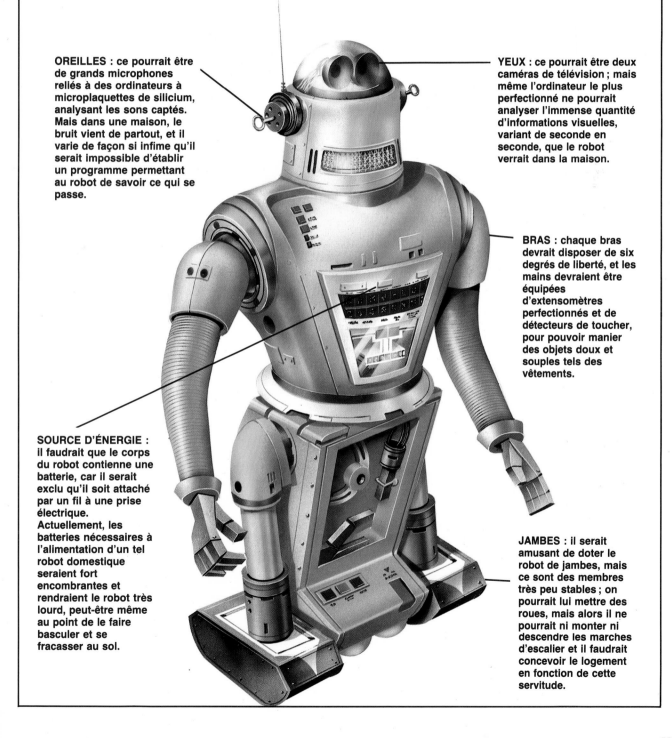

OREILLES : ce pourrait être de grands microphones reliés à des ordinateurs à microplaquettes de silicium, analysant les sons captés. Mais dans une maison, le bruit vient de partout, et il varie de façon si infime qu'il serait impossible d'établir un programme permettant au robot de savoir ce qui se passe.

YEUX : ce pourrait être deux caméras de télévision ; mais même l'ordinateur le plus perfectionné ne pourrait analyser l'immense quantité d'informations visuelles, variant de seconde en seconde, que le robot verrait dans la maison.

BRAS : chaque bras devrait disposer de six degrés de liberté, et les mains devraient être équipées d'extensomètres perfectionnés et de détecteurs de toucher, pour pouvoir manier des objets doux et souples tels des vêtements.

SOURCE D'ÉNERGIE : il faudrait que le corps du robot contienne une batterie, car il serait exclu qu'il soit attaché par un fil à une prise électrique. Actuellement, les batteries nécessaires à l'alimentation d'un tel robot domestique seraient fort encombrantes et rendraient le robot très lourd, peut-être même au point de le faire basculer et se fracasser au sol.

JAMBES : il serait amusant de doter le robot de jambes, mais ce sont des membres très peu stables ; on pourrait lui mettre des roues, mais alors il ne pourrait ni monter ni descendre les marches d'escalier et il faudrait concevoir le logement en fonction de cette servitude.

5. Le cerveau du robot

La fabrication de robots plus intelligents ne pose pas de problèmes mécaniques ; les ingénieurs qui conçoivent les robots sont en mesure d'en créer de plus en plus souples et de plus en plus précis sans trop de difficulté. Le problème réside dans le cerveau du robot lequel est, on le sait, un ordinateur. Ainsi les plus grands progrès en robotique découleront de ceux qui auront lieu en informatique.

Les ordinateurs modernes

Le premier ordinateur vraiment moderne a été construit en 1946 aux États-Unis : c'était l'ENIAC (initiales d'*Electronic Numerical Integrator and Calculator,* c'est-à-dire « Intégrateur et calculateur électronique numérique »). Il avait été conçu en raison des difficultés que les artilleurs américains avaient rencontrées pendant la guerre pour abattre des avions ennemis : au moment où ils avaient calculé où ils devaient viser, compte tenu du vent, de la distance, de la hauteur et ainsi de suite, l'avion s'était déplacé et ils le manquaient. Il fallait donc un instrument qui puisse calculer ces données à très grande vitesse. C'est la vitesse qui, depuis lors, est demeurée l'objectif principal des ordinateurs. Quelque intelligents que ceux-ci puissent paraître, leur « intelligence » dépend entièrement de leur aptitude à traiter de très grandes masses de *données* à des vitesses incroyablement élevées.

Les premiers ordinateurs étaient d'énormes monstres. Ils recouraient à de très grosses lampes de radio et à quantité de connexions par fil. La deuxième génération était beaucoup plus réduite en dimensions, grâce à la découverte du *transistor.* Les ordinateurs actuels sont encore plus petits, une proportion croissante de leurs fonctions étant incorporée aux *circuits intégrés,* lesquels voient leurs dimensions se réduire de jour en jour.

Au début, il y avait deux types concurrents d'ordinateurs : l'ordinateur analogique et l'ordinateur numérique. Ce dernier transforme toutes les données en chiffres, qu'elles lui aient été fournies sous cette forme ou non. L'ordinateur analogique travaille en produisant une « analogie », c'est-à-dire un système parallèle à celui de la chose qu'il doit calculer (ce peut être un niveau de tension électrique ou la position d'un levier, par exemple). On peut trouver actuellement des illustrations des deux systèmes d'ordinateurs dans le style des montres : la montre classique, dotée d'un cadran et d'aiguilles, est une montre analogique, alors que la montre moderne à affichage numérique est une espèce d'ordinateur qui convertit tout en chiffres. Chacun des deux systèmes a certains avantages ; mais pour presque toutes les utilisations requises par la robotique, c'est l'ordinateur numérique qui fournit la meilleure solution.

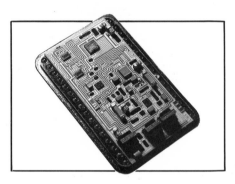

L'ordinateur numérique

Quel genre de chiffres utilise un ordinateur numérique ? Si la calculatrice de Charles Babbage avait été construite, elle aurait été fondée sur le système décimal, celui dont nous nous servons dans la vie quotidienne, probablement parce que nous avons dix doigts. A première vue, il semble que ce serait aussi ce système qu'on devrait choisir pour un ordinateur, et comme la machine de Babbage devait être mécanique, le choix du système décimal paraissait raisonnable. Mais les ordinateurs actuels sont électroniques, ils sont donc fondés sur les principes de l'électricité. Or la façon la plus simple de transmettre un signal par l'électricité, c'est de brancher le courant et de le couper. Pour cette raison, en informatique, il est plus commode de recourir au *système binaire.*

Malgré leurs stupéfiants pouvoirs, les ordinateurs sont des machines très simples et se fondent sur une idée élémentaire. Représentez-vous une ampoule électrique. Si l'on branche le courant, la lumière se fait ; si l'on coupe le courant, il n'y a pas de lumière. Ou bien la lumière est allumée ou bien elle est éteinte. Les ordinateurs sont basés sur ce principe simple. Ils sont composés de milliers d'interrupteurs ; quand l'interrupteur est en position d'allumage, cela signifie une chose, quand il est fermé, cela signifie le contraire. On peut traduire cela en termes de questions et de réponses. Vous posez une question et, selon la position de l'interrupteur, la réponse est oui ou non. Et si compliqué que soit le calcul que l'ordinateur aura à faire, ce sera toujours au moyen de milliers de décisions de ce genre : oui ou non.

Ci-dessus : Un circuit intégré sur microplaquette convertit les signaux en pulsions numériques : ainsi le robot peut communiquer avec l'organe de commande de l'ordinateur.

Page en regard : Agrandissement photographique, pris de dessus, d'un groupe de plaquettes de silicium, les éléments qui permettent la fabrication de robots « intelligents ».

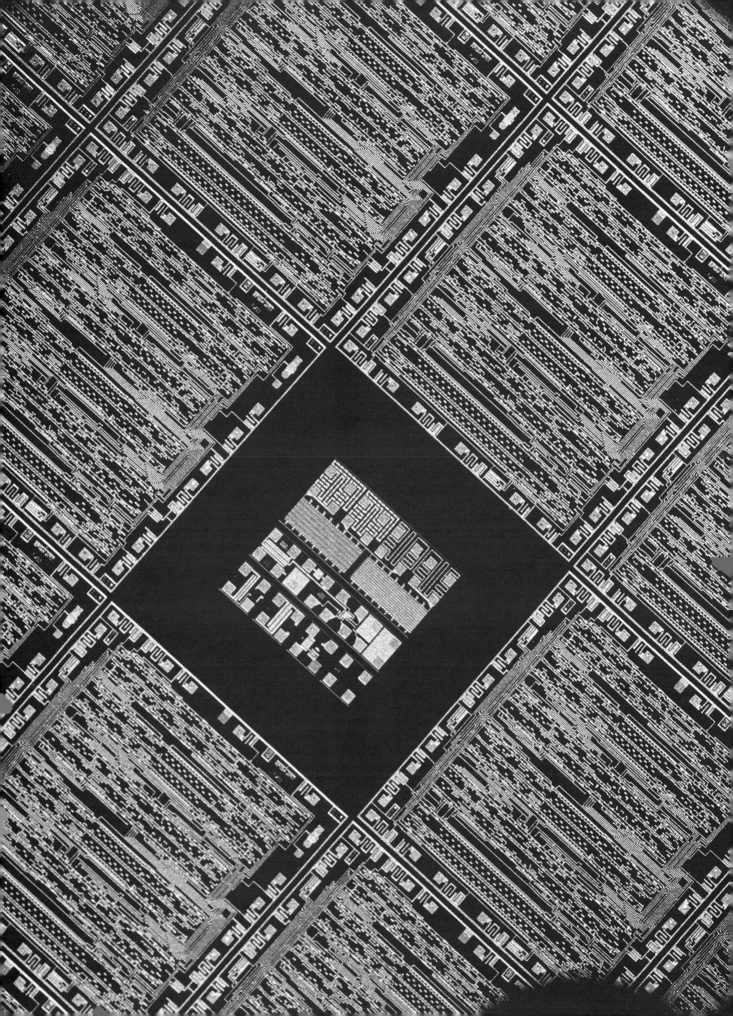

Cette méthode de travail oui-non ne convient pas s'il s'agit de travailler avec un système numérique décimal, mais elle s'adapte de façon idéale au système binaire (lequel est expliqué sur le tableau de la page en regard).

Toute opération qu'effectue un ordinateur est fondée sur les nombres binaires. On verra plus loin qu'il est possible, actuellement, de converser avec un ordinateur dans à peu près n'importe quelle langue. Mais si vous pouviez pénétrer à l'intérieur d'un ordinateur et le regarder travailler, vous verriez que toutes ses brillantes facultés de décision, de mémoire et de calcul se réduisent à la commutation de milliers et de milliers de minuscules interrupteurs.

Les parties d'un ordinateur

Tous les ordinateurs comportent essentiellement cinq éléments : l'entrée, la mémoire, la commande, le traitement et la sortie. L'*entrée* (souvent désignée par le terme anglais *input*) permet de fournir à l'ordinateur les informations dont il a besoin. Pour qu'il puisse fonctionner, il lui en faut de deux sortes : des instructions sur ce qu'il doit faire et des données à traiter. Par exemple, on lui fournira un *programme* qui indiquera avec précision comment il faut établir des chèques pour le salaire des employés d'une entreprise ; ce sont des *instructions*. Puis on lui donnera tous les détails relatifs auxdits employés (échelle des salaires, taxes et charges à déduire, etc.) : ce sont des *données*.

Ces informations peuvent être introduites dans l'ordinateur de diverses façons. Une des plus simples consiste à y mettre des cartes perforées, sur lesquelles les informations sont déjà enregistrées sous forme binaire : à chaque emplacement de la carte on trouve soit un trou soit un plein. Les cartes passent ensuite sous le *lecteur* de l'ordinateur : s'il y a un trou, un contact électrique s'établit et l'ordinateur enregistre un signal ; s'il n'y a pas de trou, aucun signal ne se produit.

De nos jours, on recourt très souvent, au lieu d'établir des cartes perforées, à des signaux produits par un clavier et apparaissant sur un écran ; c'est le système dit VDU (initiales des mots anglais *Visual Display Unit*, « dispositif d'affichage »). Le signal est le même que celui produit par une carte perforée, mais le système VDU permet à l'opérateur de voir ce qu'il fait et, le cas échéant, de se corriger avant qu'il ne soit trop tard. Dans ce système, il y a souvent interaction entre l'opérateur et l'ordinateur : l'ordinateur guide le programmeur au cours des divers stades de l'opération, il peut l'interroger en cas de doute et l'induire à mettre à jour son information.

La *mémoire* permet à l'ordinateur d'enregistrer d'entrée de jeu l'information. Une partie au moins de la mémoire réside dans le corps principal de l'ordinateur. Chaque élément d'information y détient sa place spéciale, son *adresse*, qui s'exprime en chiffres. Par la suite, chaque fois que l'ordinateur aura besoin d'un élément d'information, ce n'est pas le chiffre original qu'il recherchera (si la donnée de base était numérique) mais l'adresse sous laquelle ce chiffre a été enregistré.

Cependant, quand un ordinateur doit traiter une grande quantité de données, il est rare qu'il dispose d'assez de place dans sa propre mémoire : celle-ci ne sert, alors, qu'aux adresses des données dont il a besoin à tout moment. Les données supplémentaires peuvent être enregistrées sur des bandes magnétiques, qu'on introduit dans l'ordinateur au moment nécessaire ; on peut aussi les enregistrer sur ruban de papier ou sur disque magnétique. Ce dernier système peut permettre un accès plus rapide à une information située au milieu d'un grand ensemble de données, car il n'est pas nécessaire de faire passer la bande entière comme c'est le cas avec un ruban ou une cassette. Les utilisateurs de tourne-disques le savent bien : il est plus facile de poser l'aiguille au milieu de la troisième plage d'un disque, par exemple, que de rechercher cette plage dans une cassette.

Au centre de l'ensemble du système de l'ordinateur se trouve l'organe de *commande*. C'est lui qui détermine l'ordre dans lequel les opérations sont effectuées et qui envoie des instructions au reste de l'ordinateur, conformément au programme qui lui a été fourni. L'organe de commande travaille en fonction des instructions qu'il a reçues du programme et dans l'ordre où il les a reçues. Ainsi, quand il reçoit l'ordre d'additionner deux chiffres, il commence par rétablir ceux-ci

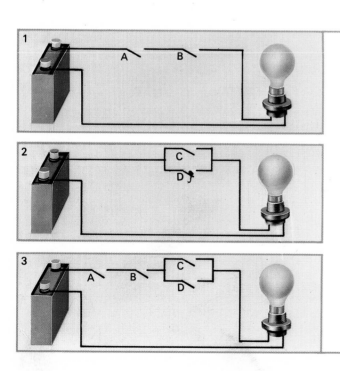

Les décisions d'un ordinateur : OUVERT ou FERMÉ

Un ordinateur prend des décisions selon une logique stricte. La figure du haut nous montre un ordinateur recevant l'information que les deux interrupteurs A et B ne sont pas connectés : l'ordinateur doit décider si les conditions permettant à la lampe de s'allumer sont remplies, puis agir de façon à allumer l'ampoule ou la laisser éteinte. Disposant les interrupteurs d'une autre façon, l'ordinateur doit se demander alors si C *ou* D est connecté ou non et agir en conséquence. Si ensuite l'on combine les deux circuits, l'information est plus complexe et la question posée à l'ordinateur plus difficile à résoudre : les interrupteurs C ou D sont-ils connectés et sinon A et B le sont-ils ? Après avoir vérifié la situation, l'ordinateur pourra poursuivre sa prise de décision quant à l'allumage de l'ampoule. Si l'on associe à chaque interrupteur ouvert ou fermé une opération logique, il est désormais possible de créer un système capable de répondre à n'importe quelle question, quelle que soit sa difficulté.

d'après leurs « adresses », il les envoie à l'organe arithmétique de l'ordinateur et il donne à celui-ci l'ordre d'additionner.

Cet organe arithmétique, qu'on appelle plus couramment *unité de traitement*, est le lieu de fonctionnement proprement dit de l'ordinateur. A nouveau, il faut souligner ceci : pour complexes que soient les informations que l'ordinateur a à traiter, les opérations mathématiques qui se déroulent dans l'unité de traitement sont extrêmement simples. L'ordinateur peut additionner, soustraire, décaler et comparer.

Une fois que l'ordinateur a traité les informations qu'on lui a soumises, il les restitue à l'opérateur ou les enregistre sur une mémoire extérieure (disque ou bande) ; cette dernière opération a lieu à la *sortie* (dite parfois *output*, de sa dénomination anglaise). La sortie s'effectue souvent sur un écran de télévision ou un dispositif d'affichage (VDU). Mais il peut être utile pour l'opérateur de disposer aussi d'un document écrit, lequel est alors produit par une machine annexe, *l'imprimante :* c'est la « copie en clair » du résultat fourni par l'ordinateur.

Le fonctionnement de l'ordinateur

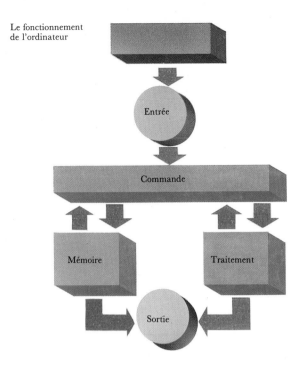

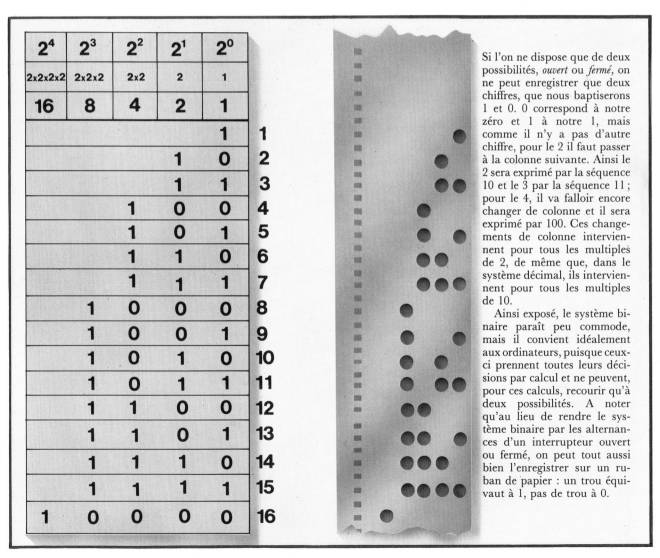

2^4	2^3	2^2	2^1	2^0	
2x2x2x2	2x2x2	2x2	2	1	
16	**8**	**4**	**2**	**1**	
				1	1
			1	0	2
			1	1	3
		1	0	0	4
		1	0	1	5
		1	1	0	6
		1	1	1	7
	1	0	0	0	8
	1	0	0	1	9
	1	0	1	0	10
	1	0	1	1	11
	1	1	0	0	12
	1	1	0	1	13
	1	1	1	0	14
	1	1	1	1	15
1	0	0	0	0	16

Si l'on ne dispose que de deux possibilités, *ouvert* ou *fermé*, on ne peut enregistrer que deux chiffres, que nous baptiserons 1 et 0. 0 correspond à notre zéro et 1 à notre 1, mais comme il n'y a pas d'autre chiffre, pour le 2 il faut passer à la colonne suivante. Ainsi le 2 sera exprimé par la séquence 10 et le 3 par la séquence 11 ; pour le 4, il va falloir encore changer de colonne et il sera exprimé par 100. Ces changements de colonne interviennent pour tous les multiples de 2, de même que, dans le système décimal, ils interviennent pour tous les multiples de 10.

Ainsi exposé, le système binaire paraît peu commode, mais il convient idéalement aux ordinateurs, puisque ceux-ci prennent toutes leurs décisions par calcul et ne peuvent, pour ces calculs, recourir qu'à deux possibilités. A noter qu'au lieu de rendre le système binaire par les alternances d'un interrupteur ouvert ou fermé, on peut tout aussi bien l'enregistrer sur un ruban de papier : un trou équivaut à 1, pas de trou à 0.

La programmation

On apprend à se servir d'un ordinateur en rédigeant son ou ses programmes, lesquels, on l'a vu, indiquent à l'ordinateur ce qu'il doit faire et dans quel ordre. Comme tout ce qu'un ordinateur peut faire, c'est de mettre des interrupteurs en position « ouvert » ou « fermé », il est évident que c'est une machine dotée d'une intelligence très élémentaire : il faut donc lui dire exactement ce qu'elle doit faire, stade par stade ; impossible de recourir à des hypothèses ou de passer par des raccourcis.

Supposons qu'il faille confier à un ordinateur une tâche complexe, comme de calculer si tout est prêt pour le lancement d'une fusée dans l'espace. On ne peut se contenter de donner à l'ordinateur des instructions comme : « Vérifier le carburant, vérifier l'approvisionnement en oxygène, etc. » Il faut analyser chacun de ces contrôles et le décomposer en une série d'étapes logiques, puis convertir celles-ci en termes mathématiques, par exemple : « si A et si B et C mais non D, alors E ». Nous recourons tous à ce type de comparaison et de contrôle quand nous devons prendre une décision, sans naturellement avoir conscience de passer par tous ces stades. L'ordinateur, lui, n'a pas le choix. Mais si le programme a été préparé correctement, l'ordinateur prendra les décisions et produira les résultats à une vitesse bien supérieure à celle que peut atteindre le cerveau humain le plus rapide. C'est uniquement grâce aux ordinateurs que les voyages spatiaux ont été possibles : aucun cerveau humain n'aurait pu réaliser les calculs nécessaires dans le temps dont on disposait.

Le langage de la machine

A l'époque des premiers ordinateurs, il fallait traduire le programme tout entier, avant de pouvoir l'introduire dans l'ordinateur, en « langage de machine », c'est-à-dire dans la langue mathématique. Cette langue des ordinateurs peut varier d'une machine à l'autre selon sa fabrication.

On a vu que toute information stockée dans l'ordinateur a son « adresse », qui est un chiffre. Prenons un exemple simple. Vous avez stocké en machine deux nombres, dont l'un porte l'adresse 2497 et l'autre l'adresse 2498. D'autre part, pour l'ordinateur que vous utilisez, le code 01 signifie « additionner » et le code 02 « soustraire ». Si vous voulez additionner les deux nombres, il faut d'abord donner à l'ordinateur l'ordre codé 00, ce qui veut dire qu'il doit ramener son organe arithmétique à zéro ; puis vous appuierez sur les touches suivantes : 01-2497 et 01-2498 ; autrement dit, vous ordonnerez à l'ordinateur d'additionner les deux nombres qui se trouvent à ces deux adresses. Puis disons que vous voulez transférer cette somme ailleurs : vous taperez sur les touches de l'ordinateur : 06-8463, c'est-à-dire que le code 06, dans ce système, signifie « transférer », et que le chiffre 8463 est la nouvelle « adresse » à laquelle vous voulez joindre la somme que vous venez d'obtenir. Tout ce processus prend pas mal de temps et demande pas mal d'efforts.

C'est parce que ces codes sont longs et difficiles à réenregistrer à chaque fois que des spécialistes se sont consacrés à composer des « langages » spéciaux, c'est-à-dire des codes nouveaux qui considèrent qu'un certain nombre d'étapes vont de soi, et grâce auxquels on peut sauter plusieurs étapes en établissant un programme beaucoup plus général. La plupart de ces langages ressemblent, cette fois, à une langue écrite et non plus à un langage chiffré ; ils recourent souvent à l'anglais et comportent des termes comme *add* (additionner) et *substract* (soustraire). Il faut commencer par introduire dans l'ordinateur un « programme de compilation » rédigé en « langage de machine », pour que l'ordinateur le traduise lui-même en

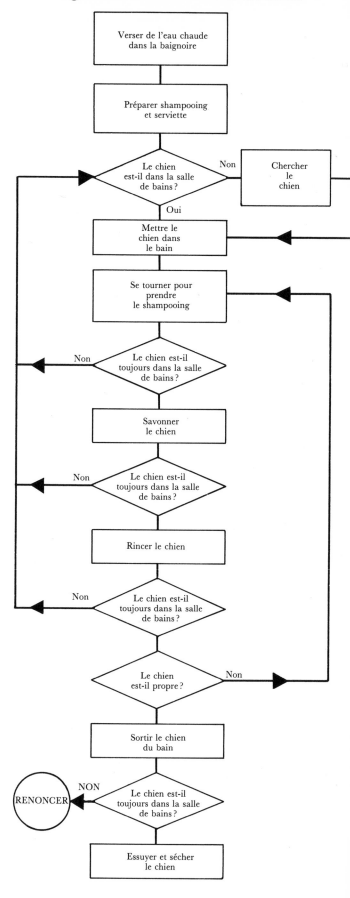

Programme : comment laver un chien

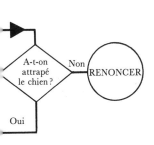

A-t-on attrapé le chien ? — Non → RENONCER

Oui

Ci-contre : La plus grande partie de l'espace occupé par les ordinateurs modernes est encombrée par les dispositifs nécessaires pour introduire les informations dans l'ordinateur ; la place occupée par l'ordinateur proprement dit ne cesse de diminuer.

Histoire de l'ordinateur

1642	Machine arithmétique de Blaise Pascal
1694	Machine à additionner de Leibniz
1823	Machine différentielle de Charles Babbage
1833-1871	Machine analytique de Babbage
1886	Tabulatrice de Herman Hollerith (système électromécanique à cartes perforées) utilisée pour le recensement américain de 1890
1943-1946	ENIAC ou intégrateur-calculateur électrique numérique, premier ordinateur électronique
1944	Mark 1 de l'université Harvard, premier ordinateur commandé par un programme
1947	EDVAC ou ordinateur automatique électronique à variable discrète
1948	Invention du transistor
1948	BABY de l'université de Manchester, premier ordinateur à programme enregistré sur mémoire
1947-1949	EDSAC ou ordinateur automatique électronique à emmagasinage différé, premier ordinateur pratique à mémoire
1954-1957	NCR 304, premier ordinateur transistorisé
1960	Premier mini-ordinateur
1967	Ordinateurs à circuit intégré
1970 et après	Utilisation généralisée des micro-ordinateurs
1972	Calculatrices de poche
1976	Ordinateurs à commande complète sur une seule plaquette

codes habituels ; après quoi, il peut poursuivre sa tâche comme par le passé. Des langages tels que *Fortran*, *Alcol* et *Cobol* facilitent énormément la programmation ; malheureusement, ils ne sont pas interchangeables et les ordinateurs de fabrications diverses ne peuvent tous les utiliser.

Programmes et robots

Ce ne sont pas les ordinateurs en eux-mêmes qui peuvent rendre les robots plus intelligents. Ce qui importe, ce sont les programmes rédigés pour l'ordinateur qui dirige le robot. On a vu au chapitre précédent que le problème de doter un robot du sens de la vue ne se résout pas en le pourvoyant d'une caméra ; il faut rédiger un programme qui permette à l'ordinateur de décoder l'image reçue par la caméra, de lui donner un sens. Les spécialistes ont coutume de dénommer *hardware* (« quincaillerie ») l'ensemble formé par les mécanismes de l'ordinateur et réservent au programme le nom de *software* : c'est là que réside le problème.

Deux groupes différents de personnes travaillent à la programmation de robots intelligents : le premier, très préoccupé des problèmes posés par la prochaine génération de robots industriels, recherche les meilleurs moyens de donner aux robots l'équivalent simple du sens de la vue et du sens du toucher, et ce sont ses travaux qui offriront les résultats les plus immédiats. Le second groupe, moins intéressé par les problèmes quotidiens des robots en fonctionnement, n'obtiendra sans doute pas dans un proche avenir des résultats spectaculaires, mais il se peut que ses travaux nous rapprochent un peu des robots de la science-fiction.

L'intelligence artificielle

L'idée même de « fabriquer » une intelligence pose certaines questions. Est-il vraiment possible de faire une machine intelligente ? Ou bien l'intelligence n'est-elle possible et concevable que chez l'être humain ? Du reste, qu'entendons-nous par « intelligence humaine » ? Pour étudier les réponses à ces questions, plusieurs hommes de science se sont consacrés, depuis quelques années, à établir des programmes d'ordinateur. Il faut rappeler ici une fois de plus que ce n'est pas l'ordinateur lui-même qui est intelligent ; il ne fait que ce qu'on lui dit de faire, et on ne peut qualifier d' « intelligent » que le programme, c'est-à-dire le faisceau d'instructions qu'on donne à l'ordinateur.

Quelques-uns de ceux qui font des recherches en matière d'intelligence « mécanique » se préoccupent principalement d'en savoir davantage sur la façon dont fonctionne l'esprit humain. Ils établissent des programmes d'ordinateur qui présentent des modèles ou des théories sur le fonctionnement du cerveau. D'autres se consacrent plutôt à construire une machine capable d'envisager une décision et de la prendre. Ces derniers chercheurs attachent moins d'importance au fait que les méthodes utilisées par la machine — telles que les indique le programme de l'ordinateur — ressemblent plus ou moins à la manière dont l'esprit humain fonctionne.

Personne n'a encore pu établir un programme d'ordinateur

Saturne tel que l'a « vu » le vaisseau spatial Voyager, lancé en 1977. Après avoir observé Jupiter (1977) et Saturne (1980), Voyager continue son voyage en direction d'Uranus, qu'il atteindra en 1986 et de Neptune (1989). Comme les signaux radio transmis à la Terre doivent traverser des milliers de millions de kilomètres, il a fallu programmer d'avance la mission tout entière au moyen d'ordinateurs extrêmement perfectionnés.

qui fasse que celui-ci se comporte comme un être humain dans toute sa diversité. Mais on en a déjà établi qui supportent favorablement la comparaison avec certains aspects limités de la pensée humaine. Les chercheurs qui se consacrent à la création d'une intelligence artificielle y sont parvenus il y a déjà assez longtemps dans un domaine qui est demeuré, jusqu'à présent, le plus populaire de ceux qu'ils ont abordés : l'établissement de programmes permettant à un ordinateur de jouer aux échecs.

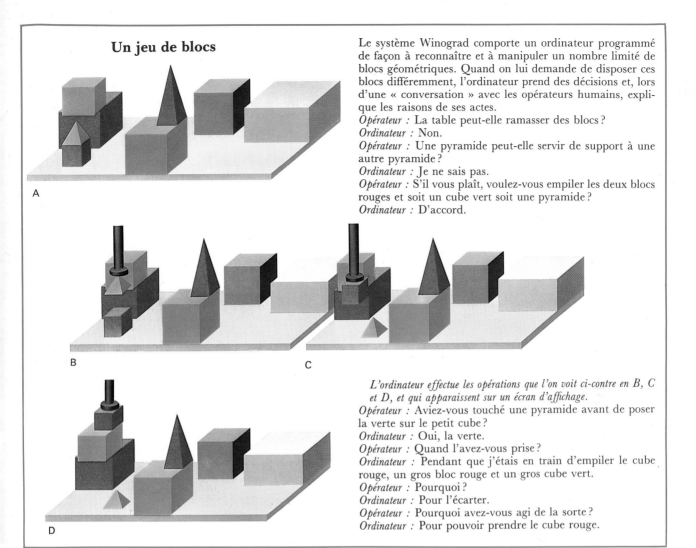

Un jeu de blocs

A

B

C

D

Le système Winograd comporte un ordinateur programmé de façon à reconnaître et à manipuler un nombre limité de blocs géométriques. Quand on lui demande de disposer ces blocs différemment, l'ordinateur prend des décisions et, lors d'une « conversation » avec les opérateurs humains, explique les raisons de ses actes.

Opérateur : La table peut-elle ramasser des blocs ?
Ordinateur : Non.
Opérateur : Une pyramide peut-elle servir de support à une autre pyramide ?
Ordinateur : Je ne sais pas.
Opérateur : S'il vous plaît, voulez-vous empiler les deux blocs rouges et soit un cube vert soit une pyramide ?
Ordinateur : D'accord.

L'ordinateur effectue les opérations que l'on voit ci-contre en B, C et D, et qui apparaissent sur un écran d'affichage.

Opérateur : Aviez-vous touché une pyramide avant de poser la verte sur le petit cube ?
Ordinateur : Oui, la verte.
Opérateur : Quand l'avez-vous prise ?
Ordinateur : Pendant que j'étais en train d'empiler le cube rouge, un gros bloc rouge et un gros cube vert.
Opérateur : Pourquoi ?
Ordinateur : Pour l'écarter.
Opérateur : Pourquoi avez-vous agi de la sorte ?
Ordinateur : Pour pouvoir prendre le cube rouge.

La programmation du jeu d'échecs

Au début, il s'est surtout agi d'un divertissement imaginé par les programmeurs à côté de tâches plus sérieuses. Mais au fur et à mesure que ceux-ci étaient aux prises avec des programmes plus complexes, ils se sont aperçus que les échecs présentaient une manière claire et bien spécialisée d'analyser le fonctionnement du cerveau humain et une occasion de vérifier si le cerveau d'un ordinateur pourrait jamais fonctionner de la même façon. Les premiers programmes de jeux d'échecs ne permettaient que des parties lentes et l'ordinateur était facilement battu. Mais de nos jours, quelques-uns des meilleurs programmes de ce type sont d'un niveau international et représentent même une menace pour les champions.

Ce qui est le plus intéressant, c'est de constater que, malgré cela, personne ne sait comment un champion international d'échecs prend ses décisions. Pour qu'un ordinateur joue aux échecs, la meilleure méthode est évidemment de lui fournir un programme comportant toutes les règles du jeu et de lui indiquer qu'il doit envisager toutes les possibilités de mouvement à chaque étape d'une partie. Mais même pour un « processus de pensée » aussi simple (relativement) que celui des échecs, et même compte tenu des énormes facultés de traitement de données des ordinateurs modernes, cette méthode implique le calcul d'un nombre trop grand de mouvements pour qu'il soit possible à l'ordinateur d'y procéder. Il est donc

L'ordinateur
joueur d'échecs
Challenger.

clair que le joueur d'échecs (humain) écarte un grand nombre de mouvements possibles sans même y penser. Le problème est donc d'établir des règles qui permettent à l'ordinateur de faire de même.

L'ordinateur qui joue aux échecs est devenu très populaire. On en fabrique désormais de fort bon marché, dotés de capacités raisonnables ; c'est l'utilisation de plaquettes de silicium qui a rendu possible la construction de leur « cerveau ». Le public apprécie beaucoup les tournois internationaux d'échecs avec ordinateurs jouant soit les uns contre les autres soit contre des champions humains. La programmation s'améliore chaque année. De temps en temps, on a vu un robot manipuler les pièces, mais il ne s'agit que d'un truc publicitaire, attendu que le problème ne consiste nullement à construire un robot capable de déplacer des pièces d'échecs, mais bien à établir des programmes qui permettent à l'ordinateur de mieux jouer.

L'analyse spécialisée

Certaines des recherches effectuées dans le domaine de l'intelligence artificielle ont conduit à d'importantes applications pratiques. Beaucoup d'informaticiens travaillent déjà à l'analyse spécialisée (que les Anglo-Saxons appellent *expert system*) : il s'agit d'introduire dans un ordinateur toutes les

informations disponibles sur un sujet particulier. Le programme est conçu de telle manière que toute personne travaillant dans le même domaine puisse consulter l'ordinateur en cas de besoin si elle a une décision difficile à prendre. Prenons l'exemple des maladies infectieuses. Les médecins chargés d'établir le programme y ont inclus tous les symptômes possibles des maladies les plus diverses et ils ont étudié la probabilité que chacune de ces maladies se déclare en fonction de ces symptômes. D'autres médecins pourront y rajouter les symptômes qu'ils auront découverts par la suite. L'ordinateur lui-même peut demander aux médecins des informations supplémentaires : par exemple il peut les interroger pour savoir si telle maladie implique une éruption ; si on lui répond « oui », il peut demander si l'éruption a lieu sur tout le corps ou si elle est localisée. Après cela, l'ordinateur pourra suggérer une maladie qui corresponde aux symptômes décrits.

Ce type de programme s'est fixé comme objectif d'aboutir avec l'ordinateur à des « conversations » qui ressemblent autant que possible à une communication humaine. La réponse fournie par l'ordinateur, sur imprimante, est libellée en mots et en phrases, non en chiffres ; ainsi des médecins n'ayant aucune expérience de l'informatique peuvent recourir à ces programmes. Il en existe d'analogues pour les géolo-

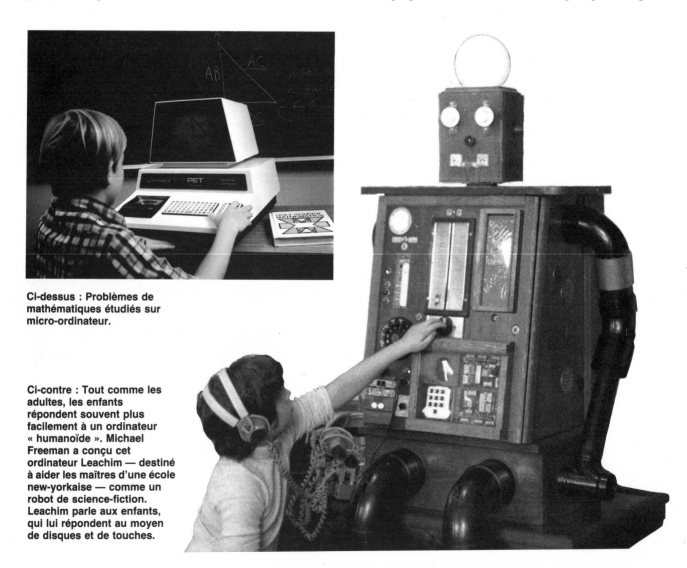

Ci-dessus : Problèmes de mathématiques étudiés sur micro-ordinateur.

Ci-contre : Tout comme les adultes, les enfants répondent souvent plus facilement à un ordinateur « humanoïde ». Michael Freeman a conçu cet ordinateur Leachim — destiné à aider les maîtres d'une école new-yorkaise — comme un robot de science-fiction. Leachim parle aux enfants, qui lui répondent au moyen de disques et de touches.

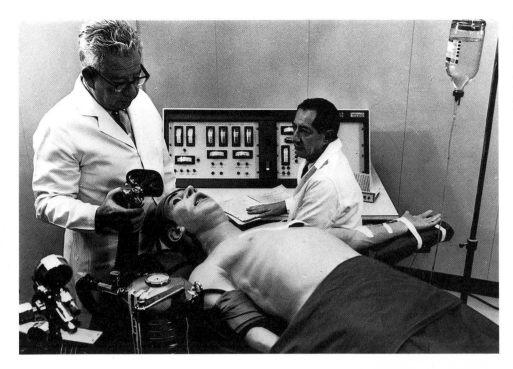

Ci-contre: Sim One, mannequin de plastique utilisé pour les études médicales ; dirigé par ordinateur, il réagit aux traitements qu'on lui administre en dormant, en vomissant et même en mourant.

Ci-dessous : Freddy, le robot de l'université d'Edimbourg, est un des vétérans du monde des machines intelligentes. On le voit ici en train de monter un jouet, tâche simple qui, pourtant, exige une programmation très complexe.

gues, qui les aident à décider si certains échantillons qu'ils ont récoltés contiennent de l'or ou du pétrole ou d'autres minerais utiles. Mais il va de soi que tous ces programmes ne peuvent servir à quoi que ce soit que dans la mesure où les spécialistes qui fournissent les renseignements de base sont eux-mêmes compétents. En tout cas, la mise en train de ce type d'analyse devrait assurer que toutes les données disponibles à tout moment dans tel ou tel domaine — par exemple les informations relatives à l'état de santé d'un malade — sont systématiquement classées et évaluées.

Les ordinateurs et l'enseignement

Une bonne partie de la recherche effectuée sur l'intelligence artificielle l'a été en relation avec l'enseignement. On recourt déjà à certains ordinateurs pour aider les élèves à apprendre ; il s'agit d'une méthode extrêmement simple, mais fort utile, et plusieurs écoles se servent de programmes d'enseignement introduits dans des ordinateurs. Pour une leçon de mathématiques, par exemple, tous les élèves de la classe sont assis devant des terminaux d'ordinateur. L'ordinateur pose un problème à chaque élève ; si l'élève fournit la solution juste, l'ordinateur passe à un autre problème un peu plus difficile. Si l'élève donne une solution inexacte, l'ordinateur peut lui fournir la réponse juste, puis lui poser un autre problème du même type pour voir si l'enfant a compris son erreur. De cette façon, chaque élève peut travailler à son rythme personnel. Grâce aux plaquettes de silicium, les micro-ordinateurs deviennent meilleur marché et conviennent idéalement à ce genre de travail. On vend déjà dans les magasins de jouets de petits ordinateurs qui énoncent des mots que l'enfant doit ensuite épeler en fournissant l'orthographe correcte.

Des recherches beaucoup plus passionnantes ont été entreprises en matière d'enseignement : celles qui tendent à faire de l'ordinateur lui-même un élève. Au lieu de lui fournir toutes les informations dont il a besoin, on y introduit des règles qui doivent lui permettre de découvrir certaines choses et d'apprendre par expérience. Une partie de l'intérêt de ces recherches découle de la lumière qu'elles jettent sur l'appren-

tissage humain. Terry Winograd, professeur à l'université Stanford, en Californie, a conçu un programme qui permet à l'ordinateur de déplacer des corps géométriques et grâce auquel l'ordinateur a « appris » à reconnaître de nouvelles formes et à se conformer à de nouvelles instructions ; le programme n'est donc plus le même que lorsqu'on l'a introduit dans l'ordinateur, voici plusieurs années déjà. On trouvera à la page 61 un exemple de la façon dont l'ordinateur ainsi programmé réagit aux objets et répond aux questions.

La tortue de Grey Walter

La tortue
sans sa carapace

Cette tortue a été construite dans les années 40. C'était une expérience passionnante, car elle démontrait artificiellement un aspect de l'« intelligence » animale. On lui avait appris à s'orienter vers la lumière située dans sa niche quand sa batterie était à plat ; quand la tortue se branchait dans la niche, sa batterie se trouvait rechargée, ce qui constituait sa « récompense ».

Des robots intelligents

A l'origine, une bonne partie des travaux effectués sur l'intelligence artificielle l'ont été avec des robots. Un des plus connus de ceux-ci était Shakey (ce qui en anglais signifie « branlant », car, en effet, ce robot était peu stable). Actuellement, ce n'est plus qu'un tas de ferraille rouillée dans un coin d'un laboratoire de Stanford. A la même époque, on a aussi beaucoup parlé de Freddy, un robot de l'université d'Edimbourg.

Quand il est apparu à l'évidence qu'il faudrait résoudre des centaines de problèmes avant de pouvoir fabriquer quoi que ce soit qui approche d'un robot de science-fiction, les crédits alloués à des appareils comme Shakey ont été suspendus. En outre, les hommes de science eux-mêmes sont tombés d'accord que les problèmes les plus épineux consistaient à établir les programmes des ordinateurs et qu'à ce stade un robot destiné à exécuter ces programmes était totalement inutile. Néanmoins, pour certains travaux de recherche et d'enseignement, il reste commode de disposer d'une sorte de robot mobile, si rudimentaire soit-il. C'est ainsi qu'on a vu apparaître de petites machines, dotées d'un cerveau fait d'une microplaquette de silicium, et capables de suivre une lumière ou de retrouver leur chemin dans un labyrinthe ; ces machines sont extrêmement populaires à l'heure actuelle.

Parmi les recherches qui sont directement en rapport avec la robotique, il faut relever toutes celles qui tendent à composer un nouveau langage d'ordinateur, spécialement conçu pour les robots. Si l'on mettait ce langage au point, un opérateur assis devant un terminal dans une usine pourrait taper sur un clavier de machine à écrire des instructions simples, telles que : « Prenez couvercle sur courroie et posez-le sur pompe. Vissez six vis dans couvercle pompe. » Mais pour l'instant, on ne peut encore demander aux robots que de refaire les gestes qu'on leur a enseignés (voir chapitre 2).

Les ordinateurs et le cerveau humain

Une des plus grosses différences entre les ordinateurs et les

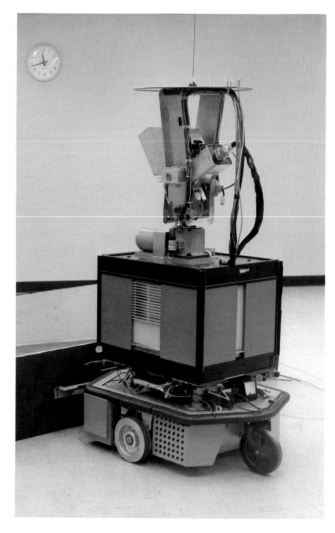

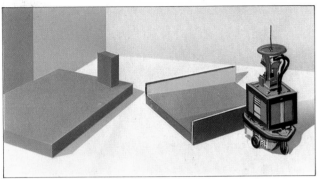

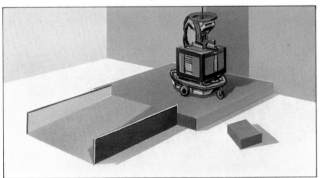

Une souris électronique en train de chercher son chemin dans un labyrinthe. Un programme peut lui apprendre à suivre une paroi, ou bien à tourner toujours à gauche excepté quand elle arrive dans une impasse. Il est intéressant de noter que certaines souris « stupides » mais rapides atteignent par tâtonnement la sortie plus vite que des souris « intelligentes » dotées d'un programme élaboré, car ces dernières étudient soigneusement leur position à chaque tournant.

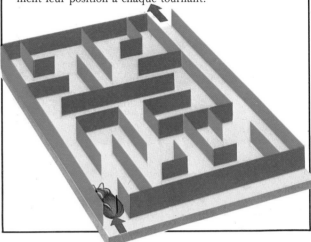

êtres humains, c'est que les premiers peuvent obtenir de brillants résultats dans un domaine particulier mais ne peuvent entrer en concurrence avec les hommes dans d'autres sphères de l'activité humaine. Bien entendu, il en va de même pour les robots commandés par ordinateur. Un programme d'échecs par ordinateur peut être en mesure de battre presque tous les joueurs d'échecs du monde, mais ce même programme ne saurait écrire une lettre, composer de la musique ou parler français.

Les êtres humains sont donc d'une prodigieuse souplesse, dont l'ordinateur est bien éloigné. A ce jour, personne n'a pu composer un programme d'ordinateur qui puisse s'appliquer à autre chose qu'à un sujet hautement spécialisé et très méthodique. Aussi bien les échecs que les diagnostics médicaux peuvent se ramener à une série de règles et de procédures. D'autres activités humaines sont beaucoup moins faciles à traduire en langage de machine.

Shakey (page en regard) titubait naguère dans une pièce de l'université de Stanford qui avait été construite exprès pour lui. Sa programmation lui permettait de se débrouiller avec un nombre limité de boîtes et de rampes. Ci-dessus, on le voit décider de déplacer une rampe pour atteindre une boîte placée sur une plate-forme. Dans ce milieu bien déterminé, Shakey faisait montre d'intelligence, mais les bornes très étroites de cet environnement prouvent combien il est difficile de programmer un robot de façon qu'il puisse affronter la complexité du monde extérieur.

6. Les robots et l'avenir

Pour produire des robots intelligents, il faut établir ce que les Anglo-Saxons appellent un software *intelligent. Les progrès du robot dépendent donc de bons programmes établis dans un langage qui leur convient. Les choses évoluent rapidement en informatique et les milieux commerciaux exercent de fortes pressions sur les chercheurs pour qu'ils produisent des robots plus souples aux talents plus variés. Les robots de la science-fiction sont-ils encore très lointains ?*

Dans l'avenir immédiat, les robots industriels continueront sans doute à ressembler à ce qu'ils sont aujourd'hui. Mais il y en aura de nouveaux, plus petits, qui pourront procéder à des travaux de montage délicats, plutôt que d'être cantonnés dans le levage et le transport des objets lourds. La plupart des robots seront en outre équipés, désormais, d'un système de vision simple. Certains d'entre eux seront capables d'interpréter des scènes assez difficiles et de faire un choix entre diverses lignes d'action selon ce qu'ils verront.

Plusieurs de ces robots auront aussi le sens du toucher, ce qui sera fort utile pour les empêcher d'endommager les objets qu'ils serreraient trop fort ou de les laisser tomber parce qu'ils ne les tiendraient pas assez fermement. Ils seront sans doute également équipés de détecteurs leur indiquant la plus ou moins grande proximité des objets ou d'autres éléments : par exemple, ces robots pourraient être à même de percevoir les rayons infrarouges, ce qui leur permettrait d'être sensibles à la chaleur dégagée par une personne proche et d'éviter de heurter cette personne et de la blesser.

Mais quelque utile qu'il puisse être, en certains cas, de faire travailler un homme à côté d'un robot, pour effectuer les travaux dont ce dernier aurait de la peine à s'acquitter, le fait de faire partager aux robots et aux humains le même lieu de travail pose quantité de problèmes, et beaucoup de chercheurs, au contraire, préconisent la création d'usines sans personnel.

Les usines de l'avenir
Supposons qu'une usine fabrique des pièces détachées pour l'industrie automobile ; elle produit de petits lots de chacune des pièces en question et, toutes les deux ou trois semaines, modifie sa production. L'écoulement de la production dans l'usine est entièrement réglé par un ordinateur, qui indique à toutes les machines du système ce qu'elles doivent faire à chaque instant. Au début du processus, dans le magasin de l'usine, se trouve un robot mobile, lequel se déplace vraisemblablement en suivant une piste magnétique au sol. Ce robot rassemble les divers éléments nécessaires à la fabrication et les charge sur une courroie de transport qui fait le tour complet de l'usine. A l'étape suivante, un autre robot prend ces éléments sur la courroie et les met dans une machine-outil qui coupe, meule ou fraise la pièce conformément aux instructions qu'elle a reçues de l'ordinateur. Puis le robot remet les pièces finies sur la courroie de transport.

On peut admettre que cette courroie en rejoint une autre, laquelle apporte d'autres pièces usinées, en provenance d'une autre partie de l'établissement. Les courroies passeront ensuite devant une rangée de petits robots, qui assembleront les diverses pièces pour en faire le produit final. Des robots situés tout au bout de l'usine emballeront et emmagasineront les éléments finis, qui seront ainsi tout prêts à être expédiés. L'usine tout entière peut, en un instant, se reconvertir à la fabrication d'un autre élément : il suffira pour cela de fournir un programme différent à l'ordinateur.

La mise en place d'un système de ce genre n'est plus très éloignée. Les robots s'acquittent déjà de plusieurs des besognes les plus dangereuses et les plus désagréables que les hommes avaient l'habitude de faire naguère. Il serait fort satisfaisant de penser qu'ils puissent aussi se charger des travaux ennuyeux !

L'usine robotisée et l'emploi humain
Une usine robotisée ne saurait, bien sûr, se passer complètement de personnel humain : programmeurs pour établir les programmes et les mettre à jour, ingénieurs qualifiés pour planifier le travail de l'usine. Il en faudra de plus qualifiés encore pour entretenir les machines (bien que l'on prévoie que les robots seront progressivement équipés de dispositifs

Ci-dessus : Beaucoup de robots industriels ressembleront aux modèles actuels, mais d'autres seront plus petits, mobiles et équipés de détecteurs sensibles.

Page en regard: A l'avenir, de petits robots mobiles pourront travailler sur les chantiers navals ; ils effectueront entre autres la soudure des panneaux d'acier constituant le bordé des navires.

de détection propres à diagnostiquer leurs défaillances et à y remédier automatiquement). Mais une usine robotisée n'aura plus, de loin, un personnel aussi nombreux que par le passé : ce qui risque de mettre au chômage une grande quantité d'ouvriers.

A cet égard, un autre problème reste posé. Les robots s'acquittent beaucoup mieux des tâches ordonnées que des travaux chaotiques. Certes, ils deviendront capables de faire face à un certain degré d'imprévisibilité, mais seulement pour les problèmes, relativement limités, de la production en série. En revanche, il sera bien difficile de « dresser » un robot à balayer le sol et à décider, ce faisant, ce qu'il faut jeter et ce qu'il faut récupérer. Or il serait lamentable que l'introduction du robot dans l'usine équivaille, pour les humains, à un avilissement de leurs tâches : les robots faisant tout le travail de production et les hommes restant chargés des besognes humbles et serviles du nettoyage...

La ferme de l'avenir ressemblera-t-elle à l'image ci-dessous, avec des robots de diverses espèces labourant les champs, cueillant les fruits et tondant même les moutons ? Le fermier, assis dans une tour d'observation, dirigerait les robots et autres appareils en donnant des ordres par radio ou en recourant à la télécommande en cas de nécessité.

La tour d'observation du fermier.

Une moissonneuse-batteuse va et vient dans un champ, guidée par un réseau de lasers situés le long des bords de ce champ.

Un robot cueillant des pommes par aspiration ; on peut changer ses « mains » pour lui permettre d'accomplir d'autres tâches.

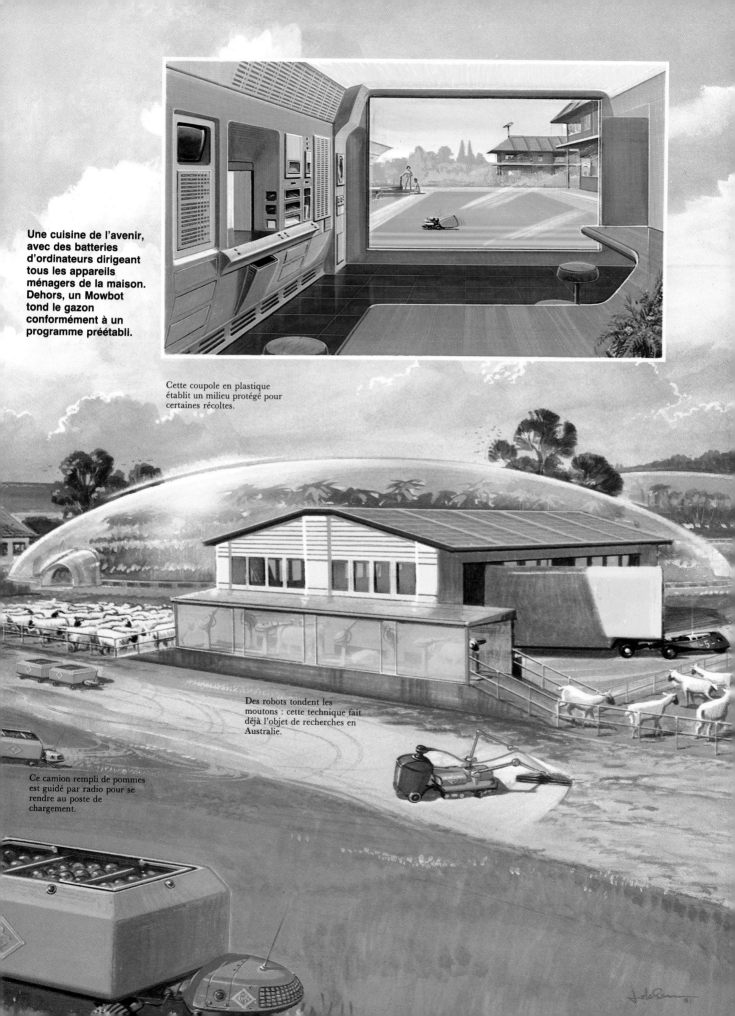

Une cuisine de l'avenir, avec des batteries d'ordinateurs dirigeant tous les appareils ménagers de la maison. Dehors, un Mowbot tond le gazon conformément à un programme préétabli.

Cette coupole en plastique établit un milieu protégé pour certaines récoltes.

Des robots tondent les moutons : cette technique fait déjà l'objet de recherches en Australie.

Ce camion rempli de pommes est guidé par radio pour se rendre au poste de chargement.

Les robots au foyer

La possibilité d'utiliser des robots en dehors de l'usine reste beaucoup plus lointaine ; elle existe néanmoins. Mais il est douteux que, même alors, les systèmes automatiques qui nous relaieront au foyer ressemblent à l'idée traditionnelle qu'on se fait d'un robot domestique.

En fait, les maisons seront probablement équipées de systèmes automatiques très complexes plutôt que de vrais robots, car pour ceux-ci, l'obstacle demeure que, dans le ménage, presque tout est imprévisible. Tous les foyers diffèrent les uns des autres et, de plus, ils se modifient de jour en jour. On tire et on pousse sans cesse les sièges, ce qui fait qu'ils ne sont jamais à la même place que la veille ; parfois une tasse à café reste posée sur la table, un autre jour elle se trouve par terre, les journaux traînent sur les chaises...

Ci-dessus : Disposition possible d'une usine presque sans personnel humain. Des robots prennent des pièces détachées sur une courroie de transport pour les mettre en machine. Dans un avenir plus lointain, des robots mobiles, capables de détecter les pannes et de prendre des décisions relatives à des tâches spécifiques, pourraient remplacer les êtres humains qu'on voit encore ici.

Ci-dessous : A cette station-service, un robot-pompiste accepte les cartes de crédit et enregistre les instructions du conducteur, tout en cherchant le bouchon du réservoir. Un petit robot mobile fait le tour de la voiture pour la nettoyer.

Ci-dessus : L'utilisation de robots en temps de guerre est un des thèmes courants de la science-fiction. Il est extrêmement improbable qu'il y ait jamais des robots-soldats en tant que tels ; mais il est possible que des soldats humains soient dotés d'uniformes « robotisés » (ou « exosquelettes »). On voit ici deux soldats, dans un paysage dévasté, revêtus des exosquelettes qui leur permettent de transporter un arsenal de missiles robotisés sur leur dos. L'avion qui survole la région est lui-même un robot.

Comment un robot pourrait-il deviner quels sont les objets qui doivent demeurer là où ils sont, quels sont ceux qu'il faut laver et quels sont ceux qu'il faut jeter ? Si nous voulons disposer d'un foyer plus automatisé, il nous faudra nous résigner à un certain nombre de compromis et de concessions... Or quel avantage tireriez-vous du fait de devoir tenir votre logement scrupuleusement en ordre, en remettant toujours les objets exactement à la même place, uniquement pour faciliter la tâche d'un robot ?

Mais il est possible d'imaginer une maison dotée dans une très large mesure de systèmes automatiques, dont certains comporteraient quelques caractéristiques du robot. Votre foyer pourrait être équipé d'un ordinateur central qui réglerait les divers systèmes. Par exemple, la lumière électrique s'allumerait automatiquement au moment où le jour baisserait ; mais pour éviter de gaspiller l'électricité dans des pièces vides, l'ordinateur pourrait réagir à un détecteur de mouvement ou à un capteur d'infrarouges qui lui dirait si une chambre est occupée ou non. Il va de soi que l'ordinateur dirigerait aussi le chauffage, le système d'alarme et la prévention des incendies.

L'ordinateur commanderait l'ouverture des portes ; il déciderait s'il convient ou non de laisser entrer quelqu'un en comparant sa voix avec un enregistrement magnétique de référence. Pour ce qui est du nettoyage, il est probable qu'on recourrait à un autre système que le balayage, en raison de l'inévitable désordre régnant dans des pièces habitées. Les tapis pourraient être dotés d'un dispositif incorporé de succion de poussière. De même, au lieu de passer un aspirateur sur le sol, on pourrait avoir un système permanent d'aspiration de la poussière par en bas.

Pour le reste du ménage, son automatisation dépend plus ou moins des concessions que nous serons disposés à faire à cet égard. Si nous mangeons toujours à la même table et utilisons toujours les mêmes assiettes et les mêmes couverts, on peut imaginer un robot capable de débarrasser la table et de tout mettre dans le lave-vaisselle. Si nous acceptons de consommer des repas préemballés et congelés, on pourrait certainement programmer un robot de telle manière qu'il choisisse certains paquets dans le congélateur et les fasse réchauffer pour nous. Mais il faudrait alors être prêt à avoir le même menu à intervalles réguliers (au moins une fois par semaine) : lundi bifteck-frites, mardi poisson-sauce tomate, etc.

Le robot animal domestique

Même si notre logement s'automatise ainsi progressivement, il est peu probable que nous disposions jamais de domestiques et de maîtres d'hôtel robotisés, comme dans les romans de science-fiction. En revanche, le robot pourrait jouer un rôle inattendu, du fait même qu'on ne saurait en attendre une grande intelligence : ce serait celui d'animal domestique et de compagnon. Beaucoup de gens se complaisent dans la compagnie de chiens et de chats avec lesquels on ne saurait dire qu'ils aient des conversations très intelligentes ; et mis à part le fait qu'ils gardent le logis et attrapent les souris, ces animaux ne sont pas particulièrement utiles dans le ménage.

Un robot pourrait donc les remplacer avantageusement. Il serait au moins capable d'un dialogue simple et, en changeant le programme, on pourrait l'avoir comme partenaire aux échecs. Il pourrait aussi vous aider à faire vos achats : l'ordinateur central lui fournirait une liste des marchandises essentielles qui font défaut ; le robot sortirait avec vous et vous suivrait dans les magasins, probablement guidé par un émetteur de radio que vous porteriez avec vous. Puis il vous rappellerait successivement tous les achats que vous auriez à faire et les rapporterait à la maison sur son dos.

Les transports

Il est très probable que, dans un avenir plus ou moins proche, tous les transports seront automatisés. Beaucoup des métros des grandes villes fonctionnent déjà de cette manière, et il pourra en être bientôt ainsi des grandes lignes de chemin de fer. Les avions de fret sont déjà, en partie, pilotés par des robots ; si le public en acceptait le principe, toute l'aviation commerciale pourrait bientôt être équipée de systèmes de pilotage automatique sans aucun inconvénient.

On pourrait tout aussi bien introduire le principe du transport automatique sur les routes, ce qui accroîtrait singulièrement leur sécurité, pour le bénéfice de tous. Mais un tel système ne pourrait être mis en place que d'un seul coup, pour tout le monde, ce qui poserait d'immenses problèmes. Est-ce que les automobilistes accepteraient de renoncer à conduire eux-mêmes leurs véhicules ? Cela n'irait pas sans bagarre...

La construction dans l'espace

Dans certains domaines, en revanche, le robot sera l'unique solution possible. C'est seulement avec une combinaison de robots et de véhicules téléguidés qu'il nous sera possible de construire et de faire fonctionner des usines dans l'espace. En apesanteur, les matériaux ont un comportement très différent de celui qu'ils ont sur la Terre : aussi, malgré les frais que cela occasionnerait, cela vaudrait la peine de disposer d'usines dans l'espace pour les utiliser. Les êtres humains ne visiteraient sans doute ces usines qu'occasionnellement et à des fins d'entretien.

Le monde de demain

Il est toujours hasardeux de vouloir prédire l'avenir. Personnellement, je ne crois pas que nous soyons destinés à voir beaucoup de robots fonctionner hors des usines, mais je puis me tromper. En revanche, sur notre lieu de travail, il est hors de doute que les robots arrivent et qu'ils seront bientôt là. Il nous faut commencer à songer sérieusement à ce que nous souhaitons faire de nos existences futures. S'il nous semble que la plupart des êtres humains devraient continuer à travailler pour l'industrie et à produire des biens de consommation, nous allons nous trouver confrontés à un grave problème social au fur et à mesure que les robots remplaceront les hommes dans toutes les branches de l'industrie, et peut-être faudrait-il d'ores et déjà barrer la route aux robots et exiger que les industries conservent les emplois pour les humains. Mais peut-être la solution est-elle différente : laisser les robots s'acquitter de toutes les tâches ennuyeuses et aliénantes et recourir aux êtres humains pour les entreprises dont eux seuls sont capables ; à savoir la réflexion, l'amour et l'imagination propres à apporter une solution aux problèmes de notre monde.

Des robots constructeurs conviendraient idéalement à des entreprises d'édification d'usines dans l'espace. On en voit un (page en regard) déployant la structure en araignée de la station spatiale. Ci-dessous à gauche : autre robot constructeur, à bras télescopiques pivotants, avec des « mains » capables de se servir d'une grande variété d'outils.

JOHN J. OLSON

GLOSSAIRE

Affichage visuel : système de tubes cathodiques analogues à ceux d'un téléviseur, qui permet à un ordinateur d'afficher le résultat obtenu (les Anglo-Saxons désignent ce système par les lettres VDU).

Automate : objet mécanique qui peut agir au moyen d'une source d'énergie autonome, comme par exemple les premiers jouets ou marionnettes automatiques qui simulaient des êtres humains ou des animaux.

Binaire (système) : système numérique fondé sur deux chiffres seulement, contrairement au système décimal qui recourt à dix chiffres différents. C'est le système binaire qui est utilisé dans les ordinateurs.

Capteurs : *voir* Détecteurs.

Cellule photoélectrique : dispositif utilisé pour détecter et mesurer la lumière, qui peut recourir pour son fonctionnement à divers effets électriques.

Circuits intégrés : reproduction sur plaquettes de silicium de circuits électriques en miniature. Les circuits intégrés, regroupant un grand nombre de transistors et accompagnant les composants électroniques, sont utilisés dans la troisième génération d'ordinateurs.

Commande numérique : système de commande dans lequel les calculs préalables sont effectués par des circuits logiques d'ordinateur et les valeurs de départ traduites en nombres binaires. Il est souvent nécessaire, dans ce système, de convertir les données initiales d'une expression analogique à une expression numérique et de procéder à la conversion

inverse à l'arrivée : ce travail est effectué par des convertisseurs. Les Anglo-Saxons distinguent la commande numérique proprement dite (adaptée aux machines-outils) de la commande « digitale » (de l'anglais *digit,* chiffre), propre aux ordinateurs.

Décimal (système) : *voir* Binaire (système).

Détecteurs ou capteurs (en anglais *sensors*) : instruments propres à doter les robots de « sens physiques » ; il s'agit en général de détecteurs de proximité, de caméras visionneuses ou d'extensomètres pour jauger les dimensions et les contraintes.

Données : ensemble de faits introduits pour traitement dans un ordinateur.

Expression analogique ou numérique : façon qu'a un ordinateur d'appréhender ou de restituer des données ; on peut donner comme comparaison explicative le cas d'une

A gauche : Bras télécommandé pour manipuler des substances dangereuses.

Ci-dessous : Robot Milacron en train de souder une pièce qu'on lui transmet.

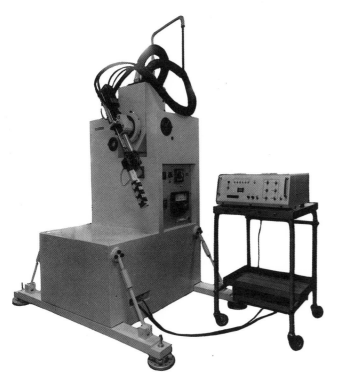

Programme : ensemble d'instructions qui commande le fonctionnement d'un ordinateur.

Rayons infrarouges : rayonnement calorifique, tel que peut en émettre un feu ou un être vivant, invisible à l'œil nu, mais photographiable sur films spéciaux.

Servomécanisme : appareil qui accomplit une action mécanique en réponse à un signal qui lui est adressé. La réaction du servomécanisme est toujours en proportion directe de la quantité de signaux qui lui sont adressés ; l'appareil comporte obligatoirement un système de rétroaction *(feed-back)* qui lui permet de contrôler sa réaction. On peut donner comme exemple simple de servomécanisme celui du volant assisté dans une voiture.

Télécommande : système permettant d'actionner un mécanisme à distance. Il ne s'agit pas forcément d'un robot et la commande n'a pas toujours lieu par ordinateur.

Traitement : opération effectuée par un ordinateur sur des données. Elle consiste à convertir les informations reçues en un système propre à être utilisé par l'ordinateur, puis à

Ci-dessus : Commandé par un ordinateur Seïko, cet appareil simule le mouvement d'un bras humain.

Ci-dessous : Avec le système Threshold, l'ordinateur reçoit des instructions parlées et commande le mouvement de la machine.

montre à cadran et aiguilles (expression analogique) et celui d'une montre à affichage lumineux (expression numérique).

Génération : groupement de robots ou d'ordinateurs en fonction de la technologie utilisée pour les fabriquer.

Hydraulique : système de transmission de l'énergie par un liquide ; les freins d'une voiture fonctionnent par système hydraulique.

Lampe de radio : tube de verre destiné soit à faire passer le courant électrique dans un certain sens, soit à amplifier un courant faible. Utilisés dans les premiers récepteurs de radio, ces tubes ont aussi servi, par centaines, dans les premiers ordinateurs.

Machine-outil : machine destinée à couper, à fraiser, à percer ou à polir le bois ou, plus communément, le métal, généralement par commande automatique.

Mémoire : partie d'un ordinateur où sont gardés en réserve les programmes et les données.

Micro-ordinateur (ou microprocesseur) : ordinateur miniaturisé, fondé sur une nouvelle technologie qui permet d'imprimer des circuits de plus en plus complexes sur une seule plaquette de silicium. Le micro-ordinateur ne dispose pas de la même capacité qu'un grand ordinateur, mais il permet un premier traitement de toutes sortes de données, en raison de son prix peu élevé et de sa maniabilité.

Pneumatique : système énergétique qui recourt à l'air (en général comprimé) pour actionner les objets.

exécuter les divers calculs ou autres procédures mathématiques pour lesquels l'ordinateur est programmé, de façon à fournir une réponse à l'opérateur.

Transistor : dispositif semi-conducteur utilisé soit pour amplifier un signal (radio) soit pour l'interrompre ou l'enclencher. La seconde génération d'ordinateurs fonctionne au moyen de transistors.

VDU : *voir* Affichage visuel.

INDEX

Les numéros de page en *italiques* se rapportent à une illustration.

Remerciements

L'auteur et les éditeurs tiennent à exprimer toute leur gratitude aux personnes suivantes pour l'aide qu'elles leur ont apportée dans l'élaboration du présent ouvrage :
Tom Brock, British Robot Association ; J. Chabrol, Association française de robotique industrielle (A.F.R.I.) ; Donald Vincent, Robot Institute of America ; membres de la Japan Industrial Robot Association (J.I.R.A.) ; Dr. Michael Larcombe, Université de Warwick ; J.F. Engelberger, Unimation Inc. ; Jean Michie, Machine Intelligence Unit, Université d'Edimbourg ; Terry Winograd, Department of Computer Science, Université de Stanford ; Dr. M. Freeman, Baruch College, New York ; Brian Davies, University College, Londres ; Dr. Hans Berliner, Department of Computer Science, Université Carnegie-Mellon ; Clayton Bailey, conservateur du Musée des merveilles du monde en Californie ; et Peggy Wallace, The School of Medicine, Université de Californie méridionale.

Crédits photographiques

Recherche photographique : Jackie Cookson.

Page 5 : Unimation (Europe) Inc., Edward Ihnatowicz ; page 10 : Cleveland Museum of Art, achat du fonds J.H. Wade *(photo en bas à gauche)* et Mary Evans Picture Library *(photo en bas à droite)* ; page 11 : *en haut* Kunsthistorisches Museum de Vienne (Autriche) et *en bas* Musée d'art et d'histoire de Neuchâtel (Suisse) ; page 12 : Crown Copyright, Science Museum, Londres ; page 13 : IBM ; page 14 : National Film Archives ; page 15 : Radio Times Hulton Picture Library ; page 16 : *en bas,* Gerry Webb (Science Fiction Consultants), *en haut,* MGM ; page 17 : *en haut,* MGM, *en bas à gauche* Universal City Studios Inc., avec l'aimable autorisation de la division « Publishing » de MCA, *en bas à droite,* BBC Copyright Photograph ; page 18 : *en haut,* collection théâtrale de Ray Mander et Joe Mitchenson, *en bas* National Film Archives ; page 19 : National Film Archives ; pages 20-21 : avec l'aimable autorisation de la société Lucas Films Ltd ; page 22 : *à gauche* © MCMLXXIX Walt Disney Productions, *à droite* National Film Archives, *petite photo milieu droite* Clayton Bailey, Musée des merveilles du monde ; page 23 : *haut* Internat Bilder-Agentur Oberengstringen, *en bas* © 1973 Jack Rollins et Charles H. Joffe Productions, par les soins de United Artists Corp., tous droits réservés ; page 24 : Cincinnati Milacron ; page 26 : *gauche* avec l'aimable autorisation d'ASEA, *droite* Unimation (Europe) Inc. ; page 27 : *droite* Tralifa Nils Underhang A/S ; page 28 : George Kuikka Ltd ; page 31 : Devilbiss Cº Ltd ; page 32 : Fiat ; page 34 : *haut* Unimation (Europe) Inc., *bas* Renault ; page 35 : *gauche* Renault, *droite* Paul Brierley ; page 36 : *haut* British Leyland, *bas* George Kuikka Ltd ; page 38 : General Electric (U.S.A.), Centre de recherche et de développement ; page 39 : *en haut à gauche* British Army, *en haut à droite* N.A.S.A., *en bas à droite* Brookhaven National Laboratory ; page 42 : Université du Wisconsin ; page 43 : *en haut à gauche,* U.K.A.E.A., *en bas à gauche* Brian Davies, University College, *en bas à droite* General Electric (U.S.A.), Centre de recherche et de développement, *en bas à droite* ELF-Aquitaine ; page 45 : Auto Place Inc. ; page 46 : Camera Press (J. Allan Cash) ; page 47 : *en haut* Auto Place Inc., *en bas* Camera Press (J. Allan Cash) ; page 48 : Hitachi ; page 50 : *gauche* I.B.M., *droite* Unimation (Europe) Inc. ; page 51 : *gauche* Université de Waseda, *en haut à droite* General Electric (U.S.A.) Centre de recherche et de développement, *centre droite* Université de Tokyo ; page 52 : Texas Instruments ; page 54 : Paul Brierley ; page 55 : Paul Brierley ; page 59 : British Steel Corp. ; page 60 : Science Photo Library ; page 61 : Challenger ; page 62 : *gauche* Pet Commodore, *droite* Dr. M. Freeman, Baruch College, New York ; page 63 : *haut* École de Médecine, Université de Californie méridionale, *centre* Université d'Edimbourg ; page 64 : Stanford Research Institute ; pages 72-73 : N.A.S.A. (avec l'aimable autorisation de la Macmillan's Children's Library) ; page 74 : *gauche* General Electric, *droite* Cincinnati Milacron ; page 75 : *gauche* Seiko Instruments Inc., *droite* Thershold Cº ; pages de garde : I.B.M. ; jaquette : *face haut* Kawasaki, *face bas* Paul Brierley, *dos* Unimation (Europe) Inc.

Dessins : Mike Saunders, Ron Jobson (The Tudor Art Studio), Peter Elson (Sarah Brown Agency) et Janos Marffy.

Maquette : David Jefferis.